ちくま学芸文庫

ことばの学習のパラドックス

今井むつみ

筑摩書房

はじめに

人間は多かれ少なかれ，既に持っている知識を使って新しいことを学ぶ。まったく新しいことにチャレンジする場合でも，他の領域で既に知っていることをさまざまな形で用い，類推することによって新しい分野の知識の学習，あるいは新たな発見をする。ある分野について既に多くのことを知っていれば，それだけ新たな知識をつけ加えることは容易になる。また逆に，学ぼうと試みる分野のことをほとんど知らず，しかも，その分野が学習者がよく知る他分野からの知識をあまり適用できないような場合には学習は容易ではなく，時間のかかることが予想される。

しかし，子どもの場合にはどうだろう？　子どもは大人に比べ格段に既有知識の量が少ない。それなのにどうして子どもはあのように容易にことばを覚え，概念を学習できるのだろうか？

この疑問を解決する鍵として「制約」という考え方が80年代半ば頃からさかんに議論されるようになった。この考え方によれば，人間は学習の当初の段階でもまったく白紙の状態にあるわけではないのである。人間の子どもには学習の当初においても，ある種の知識，バイアスが備わっており，それによって子どもは，外界の一見無限に存在する情報を秩序づけ，取捨選択している。そして，まったく無意味な，あるいはありそうにない概念の学習などは最初から行わないのである。

さらに「制約」の考え方は，ことばの学習が非常に早いペースで，効率よく行われる説明も提供する。これによれば，子どもは「人間にとって自然な」概念だけを考慮し，「不自然な」概念を最初から排除する。そしてさらに，それらの概念がどのようにことばに対応づけられるかについても直感的に知っている。だから，大人がある事物の名前を子どもに教えると，単に事物とラベルの連合（結びつき）を作るのではなく，ラベルの「意味」を積極的に推測し，だいたいにおいてラベルと「意味」を正しく対応づけてしまうのである。

この考えは当時，アメリカの大学院で勉強していた私にとって非常に魅力的なものに思われた。いったいどうして子どもが知識のほとんどない状態からあっという間にことばを覚えてしまうのか，という疑問に答えが与えられたと思ったのである。

他方，この問題を考えていくうちに，いくつかのことが気になりだした。多くの研究者は，「制約」という考えの裏に，それが生得的で言語・文化普遍的であるということを想定しているようである。子どもが獲得する概念は，人間にとって普遍的にもっとも自然で手が届きやすい（accessible）概念で，さらにその概念とことばを対応づける原理もまた，言語普遍的であるというのが一般的な考え方である。制約という考えが，先行知識のほとんどない状態からの急速な学習を説明できるという点では非常に魅力的に思えた反面，制約とは本当に生得的なのか，普遍的なのか，ということに関してはどうも完全には納得できない，という気持ちが残ったのである。これは，一部には，私が，言語によって思考や概念が形作られるというワーフ的な考え方にも惹かれていたせいである。しかし，ワーフ仮説は，学習の普遍性や生得性を強調する制約の考え方とは反対の立場にあり，両者は相いれないものであると一般には考えられていた。

ワーフ仮説に対する，いわば「親近感」ともいえるような気持ちは，私がアメリカで，私にとって外国語である英語に毎日接し，英語を使って生活していた経験によるものである。私は一応読み書きやコミュニケーションに困らない程度には英語を使えたが，どうしてもピンとこない，なんとなく納得できない，と感じることがしばしばあった。

たとえば，ジーンズを買ったというのに，英語では“I bought a pair of jeans.”とか“I bought some jeans.”などと言わなければならない。私にしてみれば一本のジーンズなのに，なぜそれを“a jeans”，“one jeans”と言えないのだろう。アメリカ人の友人達はこれを至極当たり前のこととし，英語が「おかしい」とは一度も思ったことはないようだ。それどころか，私が，日本語では「これは犬です」「これは水です」と言うときに，犬が可算名詞で水が不可算名詞であることをはっきりさせなくてもよい（と言うかはっきりさせようがない）と言うと，「そんな言語があるなんてとても信じられない」と言う。私がときどき冠詞をつけ忘れて“I have computer at home.”などと話すと，「ムツミはコンピュータを人の名前のように（固有名詞のように）言うんだから。この世にただひとつしか“コンピュータ”がないみたいに」と，いつもからかわれていた。

そのようなとき，私にとって割とどうでもよいこと，たとえばコンピュータに正しい冠詞をつけてコンピュータが固有名詞ではなく，カテゴリーの名前であることをはっきりさせることが，彼らにとってはすごく大事なことなんだ，と感じ，世界のものの見方に，特に「個」という概念について根本的な違いがあるのかもしれない，とつくづく思ったものである。

このように，人間の概念やことばの普遍性，さらにその獲得の普遍性を想定した制約の考え方と，人間の思考が言語によって大きく影響され，言語特有のカテゴリーの作り方の違いが概念の大きなずれを生み出すというワーフ的な考え方，この一見相対する2つの考え方をどのように評価し，つじつまを合わせていこうか，というのが私の研究の根底にあるような気がする。その際，私の傾向としては「どちらが正しいか」ではなく，「どういう時にどちらが正しいか」というように考えてきた。このような考え方自体が日本人的なのかな，とも思う。アメリカで生活して感じたのは，やはりあちらの人はものを白か黒かにはっきりとわけ，片方が正しければ，もう片方は誤りである，という視点でものごとに臨む，ということだ。現在の言語獲得の学界でもチョムスキー派か反チョムスキー派か，生得論か学習か，というようにはっきり立場が分かれ，二極化している。そのような空気の中で，いつも私は「世の中そんなにはっきり分けなくったっていいんじゃない」「どっちも正しいってこともあるんじゃない」と感じてきたようである。そして，いままで自分がしてきた研究を振り返ってみると，やはりそのような気持ちが反映されているものになっているなあと苦笑してしまう。

それはともあれ，私が発達研究，特にことばの発達を中心に研究しているのは，発達の様子を記述するためというよりは，「人間にとって，ことばとは，そしてカテゴリーとは何か」「ことばが発達し，概念が発達するとは，どういうことなのか」「人間の知を特徴づけるものは，どのような学習メカニズムなのだろうか」などの，子どもだけではなく人間の認知の問題に対するひとつのアプローチとして，発達を見ていくのが非常に有効な手段であるように思えるからである。その点で，本書の執筆は，成果はどうあれ，自分のしてきた研究，集めてきたデータを大きな枠組みの中で位置づけ，再考するすばらしい機会を与えてくれた。この本の執筆の機会を与えて下さった慶應義塾大学の石崎俊先生ほか，“認知科学モノグラフ”シリーズの企画編集委員の方々に心より感謝する。

執筆にあたっては多くの方に助言や協力をいただいた。特に査読担当になってくださった青山学院大学の鈴木宏昭先生，ことばの発達についての問題に一緒に取り組んできたお茶の水女子大学の内田伸子先生には，細部にわたる助言と励ましをいただいた。そのほか，慶應義塾大学の波多野誼余夫先生と古川康一先生にも多くの貴重な助言をいただいた。ここに深く謝意を表したい。しかし，本書の中での誤り，いたらない点はすべて私の責任である。また，慶應義塾大学の足立万里子さん，大沢綾香さん，宮下穂波君には図表の制作や文献一覧の制作にあたって非常にお世話になった。イラストレーターの石山揚子さんは丁寧なイラストで本書に潤いを与えてくださった。最後に本書の編集を担当してくださり，私の読みにくい文章を直したり，細かいミスを根気よく拾ってくださった共立出版の吉村修司さん，巻山佳代子さんに心からお礼を申し上げたい。

1997 年 5 月
今井むつみ

目　次

はじめに……3

第1章　ことばと意味の即時マッピングと制約理論……15

1.1　子どもはことばの学習の天才である……15
1.2　クワインの謎……17
1.3　ことばの意味とは何か？……20
1.4　外延と内包
――ことばの学習のさらなるパラドックス……23
1.5　ことばの学習における制約……24
1.6　制約のタイプ
――概念的制約とことばの意味についての制約……27

第2章　ことばの学習における概念的制約の役割……29

2.1　概念的制約とは何か……29
2.2　存在論的カテゴリー……30
2.3　子どもがどのように存在論的カテゴリーを理解するか……33
2.4　概念的制約の評価……45

第3章　言語領域特有の制約……49

3.1　事物全体バイアスと事物カテゴリーバイアス……50
3.2　形状類似バイアス……61

3.3　相互排他性バイアスとコントラスト原理 ……………64
3.4　ことばの意味付与における制約と概念的制約の関係 ……………73

第4章　形状類似バイアスと事物カテゴリーバイアス ……………79

4.1　子どもにとって「同種のもの」とは何か？ ……………79
4.2　形状類似から分類学的基準への移行モデル
——STS モデル ……………84
4.3　STS モデルの実験的検討……………86
4.4　カテゴリー知識をチェックする実験……………97
4.5　２つの実験からの考察
——初期の形状類似バイアスの意義……………98

第5章　形状類似バイアスから事物カテゴリーバイアスへの変化のメカニズム ……………105

5.1　形状類似バイアスの意味 ……………105
5.2　意味付与の原則における変化のメカニズム……………107
5.3　３歳児の形状類似バイアスと知覚類似性ブートストラッピング実験 ……………115
5.4　知覚類似性ブートストラッピング効果の発達実験 ……………124

第6章　ラベルの学習とカテゴリーの属性の理解 ……133

6.1　ことばの外延と内包の学習 ……………133
6.2　事物カテゴリーバイアスと属性の帰納的投影 ……135
6.3　ラベル拡張と属性推論の比較実験 ……………141

6.4 ラベル拡張の際に子どもが属性推論より形状類似性に依存するのはなぜか？ ……152

第7章 形状類似バイアスと事物全体・カテゴリーバイアスの生得性と文化普遍性 ……157

7.1 形状類似バイアス／事物全体・カテゴリーバイアスは発話の当初から適用されるか？ ……157
7.2 制約の文化普遍性——乳児のことばの学習パターンの異言語比較データ ……166
7.3 日本人幼児とアメリカ人幼児のことばの意味付与の原則は同じか ……175
7.4 この章でわかったこと ……178

第8章 形状類似バイアス／事物全体・カテゴリーバイアスの起源 ……181

8.1 制約は学習の当初から働かなければならないか ……181
8.2 形状類似バイアス／事物カテゴリーバイアスが生まれる過程 ……184

第9章 内的制約と外的制約の均衡関係とことばの発達 ……197

9.1 「内からの制約」と「外からの制約」 ……197
9.2 ことばの学習における外的制約と内的制約 ……200
9.3 助数詞文法と可算，不可算文法の作る言語的カテゴリーの違い ……205
9.4 ことばの学習における内的制約と外的制約の相互作用を示す研究——今井とゲントナーの実験 ……207

第 10 章　ことばと概念発達 …… 229

10.1　ことばの学習のメカニズム …… 229
10.2　ことばと概念発達 …… 232

ちくま学芸文庫版あとがき …… 235

解説　ことばの習得研究はどこからきてどこへいくのか
（佐治伸郎） …… 240

参考文献 …… 247
索引 …… 269

ことばの学習のパラドックス

第1章　ことばと意味の即時マッピングと制約理論

1.1　子どもはことばの学習の天才である

子どもは驚くほどことばの習得が速く，巧みである。たとえば，家族で海外に転居したとき，両親がなかなか現地の言語を覚えられず，四苦八苦している間に，子どもは瞬く間にマスターしてしまい，両親のために通訳をするようになるという話をしばしば耳にする。また，この前会ったときには全然おしゃべりができなかった子どもが，数ヶ月後にはすっかりおしゃべりになっていて，びっくりすることもよくあることである。

子どもは1歳半から6歳くらいまでの間に，1日に5～10個の割で新しいことばを語彙に加えていくといわれている。この期間のことばの学習は，国語の授業などでのそれとは違い，新しいことばの意味の定義や用法を教示されることはほとんどない。子どもは，ことばの発話に伴う「指さし」や親の目線（Baldwin, 1992）などの，ある意味では非常に曖昧な手掛かりから，発話された音の連なりを「意味」と結びつけていくのである。

実際，子どもが初めて聞くことばに意味を付与する速さと巧みさには目を見張るものがある。子どもに新しいことばを教えるのに，養育者は身の回りの事物をひとつひとつ指し示し，このことばはこの事物に対応する，などと懇切丁寧に説明したりはしない。それでも，子どもは瞬く間に新しいことばを覚え，語彙を増やしていくのである。子どもはたった一度聞いただけで，少なくとも部分的に外界と意味の対応づけを行っていることを示した実験があるのでそれを紹介しよう。

ケアリーとバートレット（Carey & Bartlett, 1978）は，幼稚園での日常活動で園児に「クロミウム」というナンセンス語を色の名前（オリーヴ色）として導入した。たとえば，子ども達がおやつの準備をしているときに，ひとりひとりに，「クロミウムのお盆を持ってきてちょうだい。青いのじゃなくてクロミウムのよ」とか，「クロミウムのコップをとってちょうだい。赤じゃなくてクロミウムよ」と話しかける。「クロミウム」という造語の導入は1回きりであり，特にそのことばを強調するような話し方は一切しない。

1回きりの導入で，ほとんどの子どもは正しいお盆やコップを選ぶことができた。ケアリーとバートレットは，6週間後にもう一度テストを行い，この一度だけ導入された「クロミウム」ということばが子どもの中に保持されているかどうかを調べた。6週間前に「クロミウム」ということばを聞く以前には，ほとんどの子どもがオリーヴ色を「みどり」か「茶色」と呼んでいた。しかし，6週間後のテストでは，「わからない」と答えるか，「灰色」などの，その子どもにとってまだしっかりと色とラベルの対応づけがされていない色の名前を答えた。つまり，「クロミウム」の導入により，オリーヴ色は緑でも茶色でもない，それ自体に別の名前がある色だ，ということを子どもは学んだのである。つまり，新奇な色の名前をただ一度，導入しただけで，色の領域での子どもの心的語彙（mental lexicon）の構造が変わり，それがずっと保持されていたわけである。

この非常に簡単な実験から，子どもは，たった一度新しいことばを導入されただけで，そのことばを特定の概念領域に対応づけ，それにより，既存の表象を再編成する，ということが示された。この現象はケアリーとバートレットによって，即時マッピング（fast mapping）と名づけられ，他の研究者によっても追認されている（たとえば，Heibeck & Markman〈1987〉）。

この即時マッピングは，一見何でもないことのようにみえる。私達大人にとって，「リンゴ」という音の連なりが「りんご」という赤くて丸い（しかし，時には黄色や緑がかったものもある），甘酸っぱい味のする果物を指すことは当然のことに思える。そして「リンゴ」ということばを聞いたとき，それは他の赤いもの，たとえば消防車などは指さず，ボールなどのような他の丸いものも指さず，さらにはトマトのように赤くて丸い果物（野菜？）も指さない，ということをごく当たり前のこととして受けとめている。しかし，「リンゴ」という音の連なりが，私たちの意味するところの「りんご」だけを指し，他のものを指さない，と確定することは，実は，論理的には非常に難しい問題を含んでいるのである。

1.2 クワインの謎

哲学者クワインは，ことばの指示対象を確定する際の論理的な難しさを次のように私たちに投げかける（Quine, 1960)。たとえば，言語学者が言語の調査のために他の社会から遠く隔絶された地に行き，そこで現地人のことばを観察し，その現地語と言語学者の母国語とを対応づける辞書を作ろうと試みるとしよう。言語学者は，現地のことばを全く知らないので，現地人の発話を状況と対応づけ，発話の中のことばの意味を推測するしかない。

たとえば，現地人がウサギを指さして「ガヴァガーイ」という発話をしたとしよう。そのときにいったいどうしたら，その言語学者は「ガヴァガーイ」の意味を正しく確定することができるだろうか？　それはたぶん「ウサギ」だろうと思う。しかし，他の可能性も否定できない。実際，可能性はほとんど無限にある。それはウサギの色を指しているのかもしれないし，「ふわふわした毛を持つ動物」かもしれない。突拍子もない仮説だが，「ニンジンを食べているウサギ」とか「晴天の日に見るウサギ」という可能性も絶対ないとはいえない。これらの仮説のいくつかは検証することができる。たとえば，「ウサギの色」説を検証するためには，ウサギ以外の白いものを指さし，「ガヴァガーイ？」と聞けばよい。「ニンジンを食べているウサギ」説の検証のためには，ニンジンなしのウサギを指さして「ガヴァガーイ？」と聞けばよい。しかし，検証が絶対不可能な仮説もある。どのような状態でどのようなウサギを指さして「ガヴァガーイ？」と尋ねても，ガヴァガーイの意味が「ウサギ」ではなくて「切り離すことのできないウサギの体の一部」だという可能性を完全に排除することはできない。

クワインのこの有名な疑問は，子どもがことばを学習していく過程で，どのように未知のことばに意味を付与していくかを説明する際に，そのまま投げかけられるものである。何

ガヴァガーイ?
ガヴァガーイ

度も繰り返すようだが，日常生活の中で大人が幼い子どもに語りかける時，多くの場合，ことばは，ひとつの指示物に対し，ラベルづけという形で発話される。たとえば，遊園地で檻の中にいるウサギに対し「ほら，ウサギさんよ」という。その時，ほとんどの場合，「ウサギ」ということばがどういう意味なのか，何を指すのかを説明しない。「これはウサギだけど，あれはウサギじゃない，あれも違う，でも，ほらあそこの，ちょっと離れたところにいるの，あれは，毛が茶色いけど，これと同じウサギなの。ウサギってね，動物の仲間でね，毛が白くてふわふわしてて，耳が長くて目が赤くて，でもときどき茶色や，灰色のものもあるのよ。ハムスターにちょっと似てるけどハムスターとは違うの」などと言ったりはしないのである。

では，子どもはどのようにしてことばの指示対象を曖昧な状況から確定していくのだろうか。

1.3　ことばの意味とは何か？

クワインの謎は，ことばの正確な指示対象を曖昧な状況から同定するのがいかに難しいかを指摘したものだが，実はことばの意味の学習にはクワインの投げかけた謎以上のパラドックスが含まれている。しかし，その前に「ことばの意味」とは何かをまず考えてみよう。先にお断りしておくが，「ことばの意味とは何か」という問いは非常に深遠な哲学的問題で，とても筆者などが「ことばの意味とはこれこれである」と答えられるような問題ではない。以下に述べることは本書における操作的定義くらいに思ってほしい。

「ことばの意味」には2つの重要な側面がある。「外延」(extension) と「内包」(intension) である。ことばは，事物，事象，動作，関係，属性などを「指示」(refer) するものであるが，指示対象 (referent) の集まりを「外延」という。「外延」は狭義の「カテゴリー」と同義である。「狭義の」というただし書きをつけたのは，本来の「カテゴリー」とは広い意味では事例の集合として人がみなすものなら何でもよく，必ずしもことばが指し示す指示物の集合でなくてもよいし，特に文化社会的に意味があるものでなくてもよいからである。

「内包」は「外延」よりも定義が難しい。簡単に言ってしまえば，「内包」は指示対象となるものがどのような属性を持ち，指示対象にならない事物とどの点において異なるかの知識で，これによって人は，ある事例がそのことばの指示対象となるかどうかを決定する。古典的意味論では，内包は外延を決定するための必要にしてかつ十分な最小の数の意味要素 (semantic features) の集合と考えられていたが (Katz & Fodor, 1963)，ここでは，「内包」とは，カテゴリーにどのような属性があり，それが互いにどのような関係にあるのか，カテゴリーにとってどの程度の重要性があるか，などについての知識であり，構造化された内的表象と考える。

また，筆者は「内包」の中身は必ずしも言語的に記述できる，「くちばしがある」，「足が四本ある」などの属性に限らないと思っている。たとえば，知覚的なイメージ，あるいは最近よく認知心理学でいわれる「イメージスキーマ」(Lakoff, 1987; Langacker, 1987) のようなものが内包の一部である場合もあると思う。たとえば「赤」ということばの内包

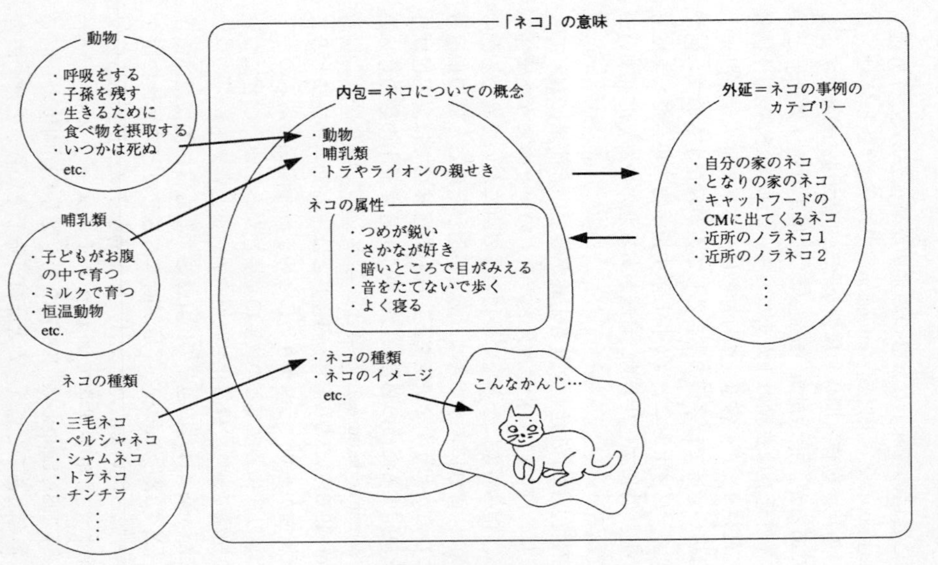

図 1.1　ことばの意味，カテゴリー，概念

が何であるかを言語的な属性で記述するのはほとんど不可能である。しかし，人は「赤」が知覚的にどういう色であるか，さらに「赤」の周辺の色「オレンジ」や「ピンク」がどのような色であるかのイメージを持っており，その内的イメージに照らして，問題の事例が「赤」であるかないかを決めることができる。この場合，この知覚的イメージも立派な「内包」であると思われる。「内包」は狭義の「概念」(concept) に相当するものと考えてよい。ただし「概念」ということばも「カテゴリー」と同様多義的で，広義には「知識全般」を指して用いる場合もある。

1.4 外延と内包——ことばの学習のさらなるパラドックス

外延と内包は，もちろん互いに切り離し得ない関係にある。外延を決めるのは内包であるが，内包は外延に属するすべての対象の共通性から帰納されると考えられている。既に語彙が確立された場合を考えると，これは当たり前のことかもしれない。大人は (たいていの場合)，ことばにどのような指示対象が事例としてあるかをよく知っている。したがって，それらの事例に共通の属性を帰納することができるのである。これが内包である。また，逆に内包があるから，新たな事例について，それがそのことばの外延に属するかどうかを判断できる。しかし，子どものことばの意味の学習という見地から考えてみると，これは非常に難しいパラドックスとなる。

たとえば，子どもは新しいことばをある状況下で聞く。状況下でのことばの指示対象を特定するだけでもクワインが指摘するように論理的には大変な作業である。しかし，問題はそれ以上にある。ほとんどのことばは，ひとつの事例(instance) を限定して指示するのではなく，事例の集まり，いわば「カテゴリー」を指示するものである。したがって，未知のことばを聞いたとき，そのことばの指示対象をその状況下で正しく同定したとしても，そのことばの指示対象が発話時の事例のみに限定されたものだ，と子どもが考えたとしたら，子どもはそのことばに「正しく意味を付与した」とはいえない。

実際に，子どもは非常に初期に，ことばを特定の状況にのみ制限的に用いる，いわゆる適用制限をする時期が短期間みられるが（詳しくは第7章を参照），その後は覚えたことばを自発的に新たな事例に拡張していく。しかし，ことばを拡張するためには，その基準となる「内包」の表象が必要なはずである。ことばの指示対象となる事例をたったひとつ知っているだけで，子どもはことばの意味の内包を持ち得るのだろうか？　あるいは本来，外延を決定する基準である内包なしで，子どもは外延を決めることができるのだろうか？　考えれば考えるほど謎は深まるばかりである。

1.5　ことばの学習における制約

子どものことばの学習において，ひとつはっきりしていることがある。それは，子どもが新しいことばを聞いたとき，クワインの言語学者のようには，そのことばの意味のさまざまな論理的可能性を全部いちいち吟味したりしない，ということである。また，外延を決める内包，つまり，ことばの指示対象に対する概念が成熟するまで，そのことばを他の事物に拡張するのを待ったりはしない。

先にも述べたように，子どもは多くの場合，初めて聞くことばの意味を瞬時に推測し，そのことばに暫定的な意味を付与している。しかも，子どもの推論は大筋において正しく，大人の発話者が指示する対象とだいたい一致する対象を新しいことばに対応づける即時マッピングを行っている。では，この即時マッピングを可能にするメカニズムは何だろうか？その答えとして，近年主流になっているのが「制約」(constraint) という考え方である。

制約とは何か？

「制約」というのは文字どおり，人間の行動を「制約」し，ある特定の方向に導くものである。したがって，「制約」自体は人間の外にあるものでも内にあるものでもよい。たとえば，交通の法規は私達が自動車を運転する際にどのような行動をとるべきかを外から「制約」する。高速道路で時速150キロで走りたくても，それが見つかれば罰せられるため制限速度を守っている人は多いだろう。

しかし，最近の認知発達心理学の領域で「制約」ということばが使われる場合，ほとんどそれは外から加えられるものではなく，子どもが内的に持つ「概念的枠組み」とか「認知的バイアス」と考えられている。この「概念的枠組み」あるいは「認知的バイアス」は，学習に際して，子どもが行わなければならない探索の範囲を狭め，吟味しなければならない可能性を狭めるものである。この考えは，子どもの学習や発達は，外からのインプットとフィードバックによって達成されるという行動主義の考えの正反対と考えてよい。

制約の考え方は，子どもが世界の基本的な概念の区分や概念的法則を生まれながらに，あるいは少なくとも学習が始まる以前に持っており，そのような知識がその後の学習の土台，骨格となる，とするものである。いいかえれば，発達の最初から子どもに内在する（つまり子どもが生得的に持つ）知識や認知的なバイアスが後の学習を導き，「制約」する，と考えるのである。この，子どもが持って生まれる「知識」や「認知的バイアス」にどのようなものがあるかということは，認知発達心理学の非常に重要な問題である。本書では「ことばの学習」との関連において，この問題について考えていく。

本書の目的と目標

本書の大目標は，「制約」という考え方が先程指摘した，ことばの学習のパラドックスを破ることができるかどうかを考えることである。そのためには「子どもがどのような制約を用いて，ことばを学習しているか」を考えるだけでは実は不完全である。このパラドックスについて考えるためには，

- 内包がゼロに近い状態からどのようにして大人の持つような豊かなものになっていくのか，
- 内包（概念）の表象が変化するにつれて外延（カテゴリー）がどのように変わっていくのか，
- ことばの学習を導く制約がどのような起源から発生し全般的な知識あるいは領域知識が発達するにつれどのように変化していくのか，

というような内包（概念），外延（カテゴリー），制約の三つどもえの関係を考えていかなくてはならない。これはもちろん筆者の力量をはるかに超えた難しい問題であるが，この大きな問題に向かって少しでも前進できればと願っている。

1.6 制約のタイプ――概念的制約とことばの意味についての制約

子どもがことばを学習するうえで，単に外からのインプットを取り入れ，模倣しているのではなく，内的な原則に導かれ，積極的にことばに意味を付与している，という考えは大方の研究者の一致するところである。しかし，実際に子どもがどのような原則を持っており，制約としてことばの学習に適用しているかについてはさまざまな意見がある。いままでに，研究者達によって提唱されている制約は，整理するとだいたい2つのタイプに分類できる。

まず，ひとつは，概念そのものについての制約である。これは，この世界に存在する概念がだいたいどういう基本的な区分から成り立っているか，それぞれの基本的な概念がどのような法則で成り立っているか，そして，どのような概念が可能でどのような概念がこの世界に存在しそうもない概念か，などの基本的知識を子どもが（生まれながらに）持っている，という立場から提唱されるものである。ことばは概念を表わす符号であるが，そのような生得的な知識がことばの意味として可能な概念は何かを制約する，と考えるわけである。

概念的制約は，ことばが**どのような**概念に対応するかを制約するものであるが，もうひとつのタイプは，ことばの意味に関する原則についての知識であり，ことばが**どのように**概念に対応するかを制約するものである。前者が可能な概念についてのメタ知識であるとしたら，後者は語彙（lexicon）がどのような体系になっており，世界に存在する概念がどのように分割されてひとつひとつのことばに対応するかについてのメタ知識であると考えられよう。

本書では，第２章で概念的制約について概括し，第３章でことばの意味に関する制約について概括する。筆者がことばの学習の制約の中でもっとも重要なものと考え，本書の中心的なテーマとなる，形状類似バイアス，事物カテゴリーバイアスは，一般的には後者のタイプの制約と考えられており，第３章では一応，後者のタイプとして紹介する。しかし，第４章以降で明らかにしていくように，これらの制約は単に「ことばの可能な意味」や「語彙の構成」についてのメタ知識にとどまらず，概念と切り離すことができない性質のものである。これらはむしろ先程述べた「内包（概念）」「外延（カテゴリー）」との間に立つ，三つどもえの中心と考えたほうがよい。

では，さっそく次章から，「制約」について考えていくことにしよう。

第2章　ことばの学習における概念的制約の役割

本章では第1章で述べた2つのタイプの制約のうち，概念的制約を取り上げ，子どもがことばの意味を学習するうえで，それがどのような役割を果たすのかを考える。

2.1　概念的制約とは何か

動詞にしろ，名詞にしろ，ことばは概念を表わす記号である。ひとつひとつのことばの表わす概念は，ほとんどの場合，人間にとって自然な，あるいは直感的に納得ができる概念である。しかし，これはどうしてなのだろう？　前章で述べたように，限られた事例の集合から引き出すことのできる可能な仮説の数は無限である。たとえば，ある言語で「グルー」という言葉があるとしよう。緑色の布，皿，椅子などが指し示され，これらは「グルー」だ，と言われる。それらの事例はさまざまな事物を含むが，全部の事例に共通なのは緑色だ，ということにあなたは気づくとする。そこで，あなたは当初「グルー」が「緑色」という意味だ，という結論にいたる。しかし，それが「紀元2000年までは緑だがそれ以降は青」という意味である，という仮説を排除することがどうしてできるだろうか？（Goodman, 1983）

人がこのような不可能な，あるいはあり得そうにない仮説を敢えて考えず，そのような概念を指示することばを持たないのは，人が概念についての「素朴理論」（naive theory）を持っており，これが「制約」となって，あり得ない可能性を最初から排除しているからなのである。これが「概念的制約」である。

最近の認知発達理論では，子どもはある種の生得的な素朴理論を持ち，それが制約となって学習を可能にしているという考えが注目されている（この考え方についての討論は，たとえば *Cognitive Science* 14巻，1990年の特集号を参照のこと）。ここで言う素朴理論とは，いわゆる科学的な理論とはもちろん違う。むしろ，物事がこうあるべきだ，とか，こうあるはずがない，というような直感のようなものと考えたほうがよいだろう。また，その内容も非常に大まかで，後の学習によって肉づけられていかなければならない，血肉のない骨格のようなものである（R. Gelman, 1990）。しかし，その骨格が，不可能な概念，不自然な概念を排除し，人間にとって自然な概念に子どもを導くのである。

2.2　存在論的カテゴリー

概念的制約を考えるうえで重要なのは，世界に存在するすべての概念はいくつかの基本的なまとまりに区分できる秩序だった構成体である，という仮定である。さらに仮定されるのは，概念の重要な区分は階層的な構造を呈しており，非常に根本的な大まかな区分からそれぞれ枝が伸びて細分化していく，という木の形になぞらえたメタファーである。これは「存在論木」（ontological tree）と呼ばれ，木のそれぞれの節（ノード）が基本的な存在論的カテゴリー（ontological category）と呼ばれる。この存在論木が正確にどのように構成されているかを考えることは非常に難しい哲学的問題であるが，ひとつの可能性として，図2.1のような構造を考えてみよう。

存在論木の一番上のノードは「すべての概念」[1]である。ここから3つのカテゴリーに枝分かれする。ひとつは「物理的実体を持つもの」(matter)，もうひとつは「出来事」，もうひとつは「抽象的概念」である。3つの基本的区分はさらに枝分かれするが，その中でも「物理的実体を持つもの」の下はもっとも多くのノードを持つ。まず，「自然物」と「人工物」の区分がなされるだろう。

「自然物」はもともと自然界に存在しているもので，「人工物」は人間が人工的に作り出した産物である。自然物はさらに「生きているもの」(living kinds) と「生きていないもの」(nonliving kinds) のクラスに分割される。「生きているもの」のクラスはさらに人間を含めた「動物」のクラスと「植物」のクラスに分かれるだろう。「生きていないもの」のクラスではダイヤモンドのような「固くて形を持つもの」と水や砂のような「液状もしくは粒状で恒常的な形を持たないもの」に分かれる。

存在論的カテゴリーは世界の概念を区分し，組織づけるうえで，もっとも基本的な区分である。では，その区分が真に基本的な概念的区分であることはどのように保証されるのであろうか？　チー (Chi, 1992) は，存在論的カテゴリーの実在性は以下の2つの基準により妥当化されるという。その2つとは，

(1) それぞれの存在論的カテゴリーに属する存在

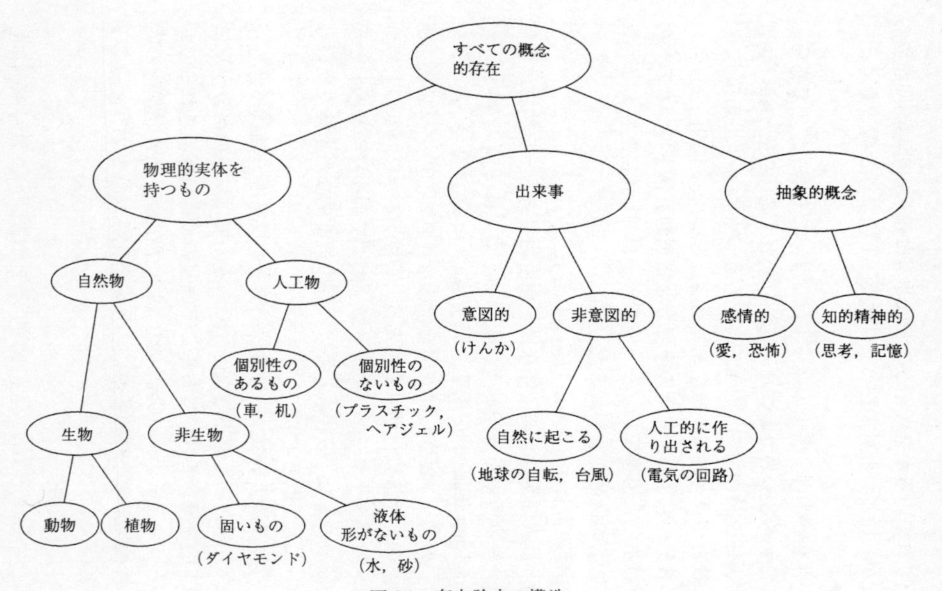
すべての概念
的存在
物理的実体を
持つもの
出来事
抽象的概念
自然物
人工物
意図的
非意図的
感情的
知的精神的
(けんか)
(愛，恐怖)
(思考，記憶)
個別性の
あるもの
個別性の
ないもの
(車，机)
(プラスチック，
ヘアジェル)
生物
非生物
自然に起こる
人工的に作
り出される
(地球の自転，台風)
(電気の回路)
動物
植物
固いもの
液体
形がないもの
(ダイヤモンド)
(水，砂)

図 2.1　存在論木の構造

(entities) は他と区別される独自の制約によって行動や属性を規定される,

(2) どのような物理的操作も, ある存在論的カテゴリーに属するひとつの存在を別の存在論的カテゴリーに属する存在に変えることはできない,

というものである。たとえば「物理的実体を持つもの」カテゴリーに属するものはすべて空間上に一定の場所を占め, 質と量を持ち, 貯蔵することができ, 色, 触感などの属性を持つ。他方, 存在論木の別のノードに枝分かれしたカテゴリー「出来事」はそのような物理的特性を一切持たない。その代わり, 「出来事」のカテゴリーに属する存在は時間軸上で始まりと終わりがあり, 変化する, などの別の特性を持っているわけである。

2.3 子どもがどのように存在論的カテゴリーを理解するか

最近の認知発達心理学のめざましい発展により, 乳幼児が前節で述べたそれぞれの存在論的カテゴリーを特徴づける「概念的制約」のすべてとはいわなくても, 骨格となる重要な部分の知識を教えられずして持っていることが明らかになってきた。以下ではこの考えの裏付けとされる研究をいくつか紹介しよう。

存在論的カテゴリーに対応する述語選択

哲学者ソマーズ (Sommers, 1963) は, それぞれの存在論的クラスを特徴づける一連の制約は, それぞれのクラスにどの

ような「述語」(predicates) が当てはまるかをみることによって明らかにされる，と主張する。たとえば，Xという事例に対しXは「息をしている」ということができれば，同時にXは「空腹である」とか「眠る」ということができる。しかし，その場合同じXについて，「明日起こる」とか「壊れやすい」といったような述語を当てはめることはできない。

カイル (Keil, 1979, 1981) は，このソマーズによる存在論的カテゴリーを予測する述語を用いて，子どもにいろいろな質問をし，その答えがイエスかノーか，それとも単に「バカげている」か尋ねた。ある場合には「ライオンは息をする？」「スカンクは眠る？」のようにターゲットの事物や事象が属する存在論的カテゴリーに適合した述語を用い，またある場合には「夢はおなかが空いている？」のように適合しない述語を用いた。幼児はこれに対し，質問がそれぞれのカテゴリーに適合する述語を含む場合にはイエスかノーで答えるが，適合しない場合は「バカげていて答えようがない」と答えた。つまり，それぞれの存在論的カテゴリーにおいてどのような述語が可能でどのようなものが不可能かを，幼児が基本的に理解していることが示されたのである。

カイルはこのデータを基に，それぞれのカテゴリーに付随する知識は不完全ではあるが，存在論木の根幹の基本的構造は非常に幼い頃から（多分生得的に）理解されており，それを基に知識の枝葉が伸びていく，と主張する。つまり，最初にある存在論木の根幹についての理解が後の概念発達を制約し，それがことばの学習の制約としても働いていると主張するわけである。たとえば，子どもが未だ知らないことばを聞き，そのことばについて「壊れやすい」という述語が与えられるのを聞いたとすれば，そのことばが人工物の名前であることを推論する。また，「泣いている」という述語が与えられているのを聞けば，そのことばが感情をもつ存在（人間）であると推論して，未知語に意味を与えていく，というのがカイルの考えである。

動物と非生物の概念的違いの認識

カイルのデータは，もう既に自由に話す能力がある幼児を使ってのものだが，ことばを発話するずっと以前の乳児でさえ，基本的存在論的カテゴリーについて驚くほど豊富な知識を保有していることが近年明らかになってきている。その中でも乳児が非常に早くから理解しているといわれるものに，動物と人工物・非生物の区別，感情を持つもの（sentient beings）と持たないもの（non-sentient beings）の区別がある。

たとえば，生後間もない乳児が，人間などの生き物と，非生物の物体では，物理法則の因果関係が異なることを理解していることが報告されている。スペルキー達（Spelke, Phillips & Woodward, 1995）は，生後6ヶ月の乳児に2つの事物の運動の事象（event）を見せた。そのうち，あるシーンではシリンダーなどの人工物の運動を，別のシーンでは動作主が人間の運動を見せた。どちらのシーンも，まず，第一の事物が第二の事物に向かって動いていく。次に，第一の事物の運動が第二の事物にたどり着く前に停止し，2つの事物の間に空間的ギャップがあるにもかかわらず，第二の事物が運動を始める。動作主が人間の場合，乳児はそれを正常な出来事として受けとめ，注視時間は，第二の事物が第一の事物との接触によって動いた場合とかわらなかった。しかし，事物がシリンダーの場合には，２つめのシリンダーがひとつめのシリンダーの運動の力によらず，自律的に運動を始めたことに驚き，そのシーンを正常なシーンより，長い間見つめていたのである。この結果は，生後６ヶ月の乳児でも，動作主が人間の場合には自律的な運動が可能であり，非生物の場合には他から加えられる力によってのみ運動が開始されることを直感的に「知っている」ことを示すものである。

マッセイとゲルマン（Massey & R. Gelman, 1988）は，もう少し大きい３，４歳の幼児を対象とし，写真という刺激を与えた（被写体に動きのない状況を見せ，その事物が動作をするのかしないのかを判別させることにした）。そして子ども達がいままで見たことのない被写体の事物が動物か非生物かを区別し，その区別に応じてそれぞれに適切な推論をすることを示した。マッセイとゲルマンは，子ども達に哺乳類の動物，哺乳類以外の非典型的な動物，動物の像，車輪のついた人工物，複雑な形をした車輪のない人工物の写真を見せ，それらの事物が傾斜面を自力で上がれるか，下れるかを聞いた。それらの事物は子ども達にとって全く初めて目にするものだったにもかかわらず，子ども達は，写真に内在する知覚的情報の中から推論に関する情報を取り出し，大筋において正しい推論をした。

たとえば，哺乳類でもそれ以外でも動物については坂を上がるのも下るのも自力ででき，車輪があるものについては下降運動はできるが，上方向には自力では登れない，車輪のない人工物は下方向にも上方向にも自力では動けない，と答えたのである。しかも，重要な点は，動物の像は動物に似ているにもかかわらず，全体的な知覚的類似性に頼ることなく，動物の写真とその像の写真でそれぞれ妥当な予測をした。これらの結果は，動物と非生物の区別は認知発達の非常に初期の段階から，子どもの推論を制約する重要な役割を果たすことを示している。

物体と物質

最近の乳児研究はまた，子どもはことばを発話し始めるずっと以前から物体（objects）の物理的な性質について，「素朴力学理論（naive theory of physics）」ともいえるような直感的理解を持っていることを明らかにした。たとえば最近のスペルキー（Spelke, 1990, 1991）やベイヤルジオン（Baillargeon, 1987; Baillargeon & Graber, 1989）の研究は，乳児が既に，

(1) 物体（object）はそれ自身では動かず，他の力によって動かされない限り，同じ場所に存在し続ける，
(2) 物体は別の物体を通り抜けできない，つまりある物体が壁などに突き当たった場合，壁に穴をあけて突き抜けない限りは壁の前で運動が止まってしまう，
(3) 物体は他の力を加えられない限り，自分自身でその形を変えることはない，
(4) ひとつの物体は全体がまとまって同時に動く（つまり物体の一部をつかめば全体がついてくる），

などの物体の基本的特質を理解していることを示した。これらのことと矛盾するシーンに出会うと，乳児は驚いてそのシーンを長い間見つめたのである。

物体はまた，水や砂のような物質（substances）と個別性

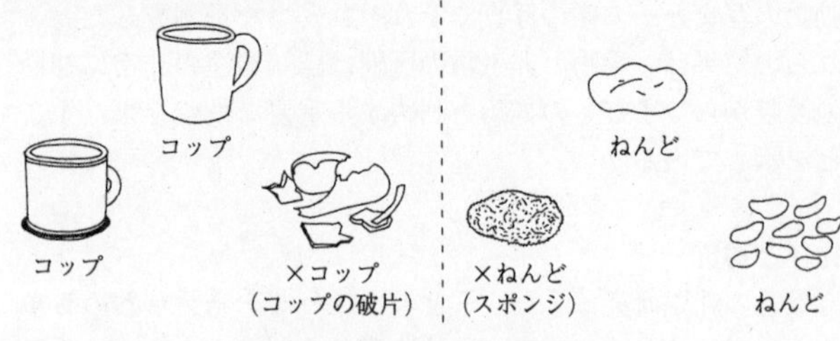

図 2.2　物体と物質の存在論的違い

において根本的に異なる性質を持っている。物体は個別化された存在であり，物体全体として「1個の物体」として認められる。それ故，物体の一部は物体自身ではないし，物体が壊れたら，その壊れた一片はもはや物体であるとはいえない。たとえば，「椅子の脚」は「椅子」ではないし，壊れたコップのかけらはもはやコップではない（図 2.2）。

これと対比して，水や砂などの物質について考えてみよう。水や砂などは，椅子，コップなどの物体と違い，「全体」というものがなく，また個別化をする特定の単位も持たない。つまり，水差しに入っている水を4つのコップについでも，それぞれのコップの中身は「水」である。コップの中の水を半分飲んでも，コップに残っているものは「水」である。つまり，物体は存在論的に「個別化された」存在であるのに対し，物質は「個別化されない」存在である。このため，物質は物体の特性と非常に異なる特性を持つ。

物質は物体のように個体としてはっきりした境界を持つ堅固な存在でないため，時間的に持続するそれ自身の形を持たない。また，一部をつかんで動かしても残りが同時に動くということもない。物体同士は接触によって混ざり合うことはないが，２種類の物質（たとえば水と塩）は混ざり合ったり，科学的に反応したりする。つまり，物体と個別化されない物質は互いに相容れない属性のセットを持ち，その意味で物体と物質は異なる存在論的カテゴリーに属すると考えてよいだろう。

乳幼児が物体の特性をどのように理解しているかについては，上記のスペルキーやベイヤルジオンの研究を初めとした数多くの研究がなされ，かなり詳しいことがわかってきたが，物質についての直感的理解についてはまだそれほど研究がなされていない。しかし，ごく最近の研究では，８ヶ月の乳児でも，物体と物質では形の恒常性において異なること，したがって「数」という概念の果たす役割が違うことを理解している，という報告がなされている（Huntley-Fenner & Carey, 1995）。今度はこの実験について紹介しよう。

まず，乳児に何も置いていない台を見せる（図2.3（a））。山形に作った物体を紐でつるして上から下げ，その台の片端に置く（乳児は，物体が台の一方の端に置かれたのを見る）。台の前にスクリーンが置かれ，物体を隠す。もうひとつの山形の物体が台の別の端に降ろされる。乳児は，手がその物体を降ろしているところは見えるが，スクリーンに遮蔽されているので，実際にこの物体が既に設置してある最初の物体の隣に置かれたところは見えない。しかし，もし，乳児が物体は恒常的な形を持った個別化された存在であり，全体がひとつにまとまって運動するものである，という基本的な存在論的制約を理解しているならば，スクリーンによって遮蔽されていても，スクリーンの後ろには２つの物体が存在すると推論

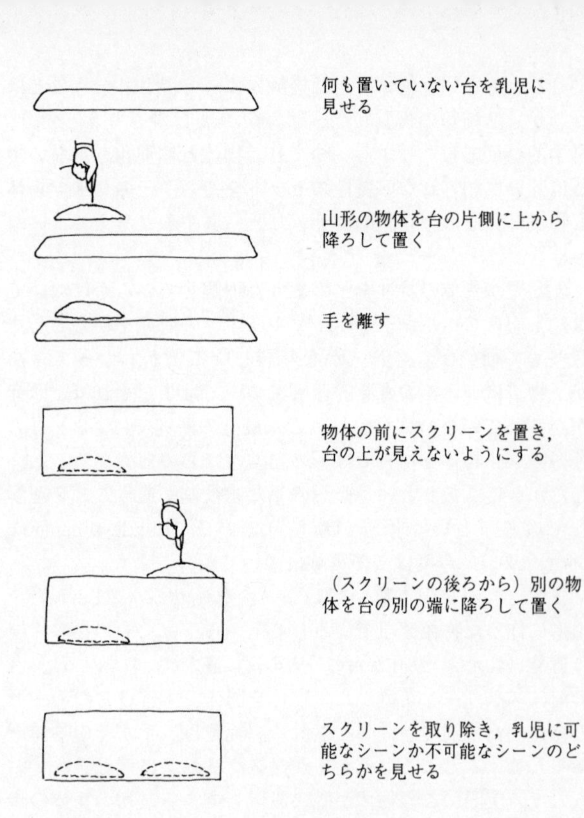

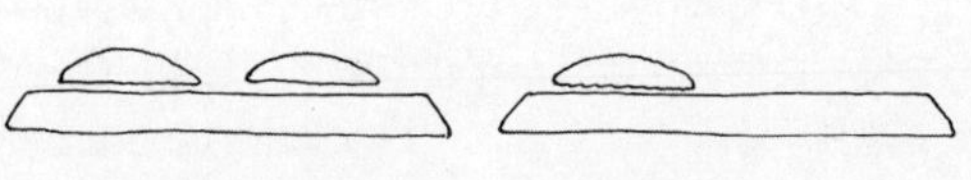

図 2.3 (a) 物体と物質の性質の違いの理解を示す実験:物体試行

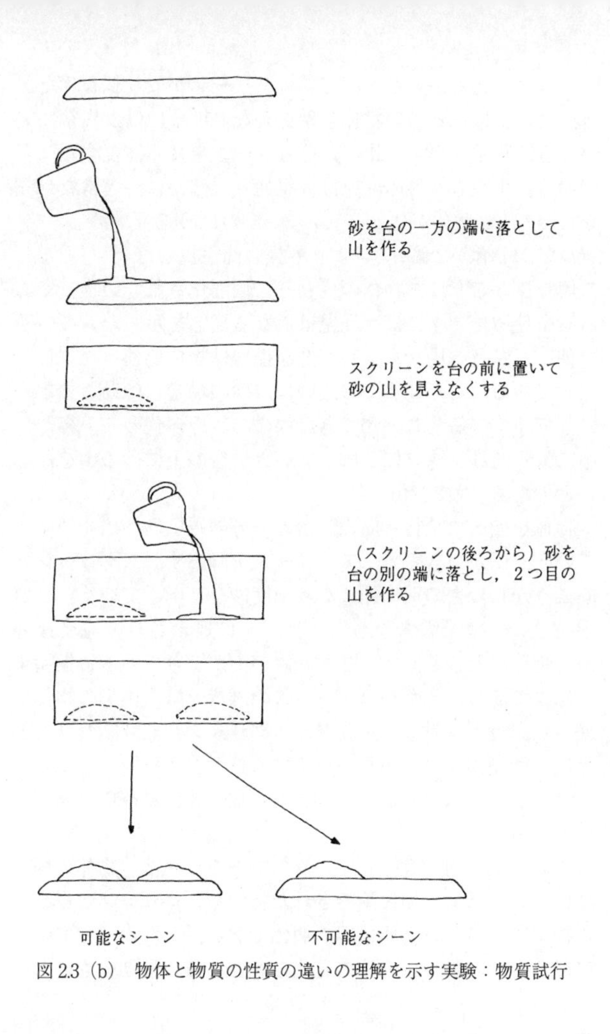

図 2.3（b） 物体と物質の性質の違いの理解を示す実験：物質試行

するはずである。したがって，スクリーンが取り払われたとき，台の上にひとつの物体しか見えない場合には，異常に気がつき，正常な場合と比べ，そのシーンを長く注視するはずである。生後8ヶ月の乳児は仮説通り，確かに，異常なシーン（台の上に物体がひとつしかない）のほうを正常なシーン（台の上に物体が2個ある）よりも長い間注視した。

興味深いことに，物体の代わりに個別化されない物質である砂を使ったときには，乳児は異なる反応を示した。この砂を使った試行の場合も，基本的な操作は物体を使った試行と同じである。ただひとつの違いは，砂の場合にはひとまとめにして紐でつるすことができないので，その代わり，容器の中に入れた砂を徐々にこぼしていき，台の上に砂の山を作ることである（図2.3（b））。

物体を使った試行と同様，台の一方の端に砂の山をつくっていき，山ができると，スクリーンを降ろす。スクリーンの向こうから，台の別の端にもう一度砂をこぼしていく。この手続きにより，大人ならスクリーンに遮蔽されて見えないが，物体のときと同様，2つの砂の山ができていると推論するはずである。しかしながら，この試行では，山形の物体を使った試行とは異なり，乳児はスクリーンが取り払われたときに，砂の山がひとつしかなくても驚かなかった。つまり，正常なシーン（山が2つ）と比べ注視時間が変わらなかったのである。

この結果は何を意味しているのであろうか？　物体の場合には，乳児は，最初に降ろされた物体とスクリーンが置かれた後で降ろされた物体は**別の個体である**，したがって2番目に降ろされた物体は自分の見えないところで最初のものと融合してひとつになってしまうことはない，ということを理解していたようである。しかしながら，乳児が砂については**個体ではない**，したがって砂の山を数えても意味がないという直感を持っていたため，砂が違う場所にこぼされていっても砂の山が2つできなくてはならない，とは期待しなかったのではないだろうか。また，砂は物体と異なり，はっきりとした境界を持たない，形の恒常性のない存在ということを知っていて，そのため，スクリーンの後ろで，自分の視野にないうちに最初に作られた山と2回目のものが一緒になってしまったと思ったのかもしれない。

個別性についての存在論的理解とことばの学習

ケアリー達は，上記の物体と物質の性質の違いについての理解は生得的なものであると考え，また，子どもはこの生得的に備わっている知識をことばの学習の制約として適用していると主張している（Carey, 1984, 1994; Soja, Carey & Spelke, 1991, 1992）。

ケアリー達のこの考えは，哲学者クワインへの反論である。クワインは先にも述べたように，ことばの指示対象の不確定性を強調したが，それを（ある程度）解決し，意味を確定する言語的道具として，英語における可算，不可算名詞を区別する文法があると述べている。つまり，その文法的区別がある故に“a rabbit”は個である存在であり，したがって，抽象的な「ウサギ性」なるものを指すことばでもなく，うさぎの色や感触を指すことばでもないと結論づけることができる，というのである。それ故，クワインは英語を話す子どもたちは可算，不可算名詞を区別する文法を習得する以前には，世の中に存在する「もの」が物体と物質という異なった性質を持った２つの存在論的カテゴリーのどちらかに属し，それらを指し示すことばも根本的に異なった性質を持つということを理解できないと考えた(2)。

この考えに対して，ケアリー達は，物質と物体の性質の違いは言語獲得に先立つものであり，クワインの主張とは逆に，存在論的認識が名詞の意味を制約し，さらにそこから可算，不可算を区別する文法的認識へ子どもを導いている，と主張する。この主張を支持したソージャ達（Soja, Carey & Spelke, 1991）の実験を次に紹介しよう。

ソージャ達は，英語を母国語とする２歳になったばかりの子どもと２歳半になった子どもの２つの年齢グループを実験の対象とした。これは先行研究などで，子どもが可算，不可算名詞を区別する文法規則を理解するようになるのが２歳半頃といわれているからである。つまり，文法規則を知らない２歳児達が，文法規則を知っている２歳半の子どもと同様の行動パターンを示したならば，文法規則以外の知識が子どもの課題遂行を導いていることになる。

ソージャ達は，子どもにまず最初に標準刺激を見せた後，２つの選択刺激を提示し，そのどちらが標準刺激にマッチするかを選ばせた。２つの選択刺激の一方は，標準刺激と形が同じだが，違う素材でできている。もう一方は，標準刺激の複数のかけら，または一部である。つまり標準刺激と素材は同じだが，形は全く異なるものである。実験者は標準刺激を子どもに見せ，それにラベルづけをする。そして，２つの選択刺激のうちのどちらに同じラベルがつけられるかを質問する。つまり，子どもが標準刺激に与えられるラベルを物体の名前だと思い，素材が異なっても同じ形をした他の物体にラベルを適用するか，あるいはラベルを物質の名前だと思い，形は異なっても同じ素材のものにラベルを適用するかを観察するわけである。

子ども達は8回の試行のうちの半分の試行では，標準刺激として「物体」を見せられ，残りの半分の試行では「物質」を見せられた。もしも子どもが可算，不可算文法規則を獲得する以前に物体と物質を見分けることができ，また，ことばの外延決定にそれぞれ別のルールを適用できるなら，物体を見せられたときには，素材は異なっても同じ形のものにラベルを拡張し，物質を見せられたときには，同じ物質の別の形をした塊や山にラベルを拡張するはずである。

実験の結果は，ソージャやケアリー達の考えを支持するものとなった。クワインの仮説に反し，可算・不可算の文法を獲得していない2歳児でも，2歳半児同様，物体を見せられた場合と，物質を見せられた場合とで，それに与えられたラベルの解釈を区別し，物体のときは同じ形のもの，物質のときは同じ素材のものを，ラベルの指示対象として選んだのである。

2.4 概念的制約の評価

文化比較による存在論木の普遍性の検証の必要

この章で紹介した諸研究は，どれも非常に独創的で洞察が深く，私たちの認知発達の理解に多大の貢献をしたものとして評価されるべきものである。これらの研究によって，言語的な実験教示を与えることができない生後数ヶ月の乳児が，ことばを発話するずっと以前から，存在論的カテゴリーのいくつかの領域に関しては非常に豊富な知識を持っていることが明らかにされた。しかしながら，普遍的，生得的な存在論的認識がことばの学習を制約するという立場には共通する問題点がある。

第一の問題点は，概念領域，あるいは概念自体の規定の仕方にある。ソマーズやカイルの提唱した存在論木は，ある意味で西洋的な直感に基づいた概念区分，構成であり，いわば西洋人にとっての「存在論」なのである。ここにおいて想定されているのは文化固有の素朴理論（folk theory）よりも，科学的分類に基づいた「先進国で学校教育を受けた大人」の視点からの区分である。

たとえば，ケアリー達は，「物体」を英語の可算名詞に当たるものと対応づけて規定している。彼女たちによれば，「物体」は，その機能にかかわらず，「堅くて境界があり，まとまっているもの」と定義される。この定義により，名詞を可算・不可算のクラスに二分するように，「もの」を物質のカテゴリーと物体のカテゴリーにきれいに二分できると想定している。しかし，非西洋圏に属し，言語に可算・不可算の区分を持たない日本人は物体カテゴリーと物質カテゴリーの区分の仕方がアメリカ人と異なる，という結果が今井によって報告されている（Imai & Gentner, 1997; Imai, 1995）。また，生物，非生物の区分についても，アメリカ，日本，イスラエルなど先進国の間でも文化差がみられたことを波多野達（Hatano et al., 1993）が報告しており，「生得的かつ文化普遍的な」概念区分については，異文化比較の観点から実証的に検討することが求められる。このことについては，第9章でもう一度考察する。

ことばの学習における存在論的制約のパワー

第二の問題点は，制約のパワーの問題である。既に述べたように，制約は，子どもが未知のことばにラベルを付与し，概念に対応づけるときに，吟味しなければならない可能性を狭める働きをするものである。では，子どもが未だ知らないことばを聞いたとき，存在論的概念制約が，膨大な概念空間の中から，ことばに対応する概念の可能性を果たしてどれだけ狭めることができるだろうか。

たとえば，可算・不可算の文法規則を獲得する以前に，あるいは日本語をはじめとした可算・不可算文法がない言語を母国語とする場合に，個別性に関する存在論的知識——つまり，あるものが個別化された物体か，個別化できない物質かを見分けることができ，さらに，物質と物体では外延が異なる規則で決まることを知っていること——は，探索する範囲を２分の１に狭める。しかし，実際のラベルの指示範囲，特に人がもっとも頻繁に使う名詞は，「りんご」「ウサギ」「イヌ」などの基礎レベルのカテゴリー（第３章の注２参照）の名前であり，その指示範囲は物体と物質の区分よりずっと狭い。

では，子どもは「ウサギ」ということばが，同じ存在論的カテゴリーに属する他の動物，たとえば「シカ」や「イヌ」も指示すると考えるだろうか？　あるいは，大人が「ウサギ」に対して想定する指示範囲とほぼ対応する指示範囲を，最初にラベルを聞いたときから想定するだろうか？　また，後者の場合，存在論的認識により狭まった探索空間をさらに狭める制約を子どもは制約として持っているのだろうか？次章ではこのことについて考えてみたい。

注

(1) この場合の「概念」は狭義の，ことばの内包としての「概念」ではなく，「知識」に相当する意味での広義の「概念」である。

(2) ところでクワインのこの考えを極端に解釈すれば，日本語のような可算・不可算の文法的区別がない言語を話す人達は，物質と物体のこの性質を永久に理解できないことになる。この問題については第9章で述べる。

第3章　言語領域特有の制約

子どもは知識が全くゼロの状態からことばの学習に臨むわけではない，という考えを前章で述べた。子どもは「動物—非生物」「自然物—人工物」「物体—物質」などの存在論的カテゴリー区分とそれぞれのクラスに属するものの基本的な性質を非常に早くから，大人から直接教わることなく知っている。しかし，これらの区分は非常に粗い区分であり，一般的にことばが対応する概念区分よりもはるかに範囲が広い。しかしながら，子どもが初めに覚えることばは「動物」「物質」「物体」「人工物」などではなく，「犬（あるいはワンワン）」「自動車（ブーブー）」「水」などの存在論的区分よりもずっと詳細に分割された概念である。子どもがことばをこのように詳細に分割された概念に対応づけるためには，概念的制約に加え，ことばがどのように概念に対応するかについての知識が制約として必要になる。

本章ではこのために提唱された制約理論の中で特に代表的な制約である，事物全体バイアス（whole object bias），事物カテゴリーバイアス（taxonomic bias），形状類似バイアス（shape bias），コントラスト原理（principle of contrast），相互排他性バイアス（mutual exclusivity bias）を紹介する。

用語について

その前に「制約」「バイアス」「原理」などの用語についてひと言ふれておきたい。具体的に子どものことばの学習を制約するものは何かについて，さまざまな説や理論が提唱されているが，それらはそれぞれ「制約」(constraint)，「バイアス」(bias)，「原理」(principle)，「仮定」(assumption) など，いくつもの用語で記述されている。

一般的に，“constraint” を使うと，本来の「ことばに対応する概念の可能性を狭める」という意味だけでなく，生得的で絶対的なもの，という語感を感じる人が多く，そのため意識的にその言葉を避け “bias” を使う人が多い。“principle” ということばは “constraint” の「制限」というニュアンスよりも，ことばの可能な意味や語彙 (lexicon) の構成についてこれこれの原則があり，子どもはそれを知識として保有している，というニュアンスのときに用いられるようである。

本書では，原語で通常用いられている用語をそのまま使うようにした。事物全体バイアス，事物カテゴリーバイアスについては研究者の間でも，“constraint”，“assumption”，“bias” が互換的に用いられているが，「バイアス」に統一した。

3.1 事物全体バイアスと事物カテゴリーバイアス

マークマンとハッチンソン (Markman & Hutchinson, 1984; Markman, 1989, 1990) は，子どもが「ウサギ」「イヌ」「おもちゃ」などの概念カテゴリーを数少ない事例から覚えていくメカニズムを，事物全体バイアスと事物カテゴリーバイアスという2つの制約で説明しようとしている。

事物全体バイアスにより，子どもは未知の名詞が物体 (object) 全体の名前であり，その部分や属性 (色，素材，触感など）を指示することばではないと想定する。さらに事物カテゴリーバイアスにより，その名詞が個人や個体に特有な固有名詞ではなく，カテゴリーの名前だと想定する。この場合のカテゴリーとは分類学的体系に従ったカテゴリー（taxonomic categories）である。

次にどのような根拠に基づいて，これらの制約が提唱されているのかを少し詳しく紹介しよう。

事物全体バイアスの根拠

事物全体バイアスに先行するのは，前章で述べた物体と物質の存在論的認識であると考えられる。存在論的知識に照らして「もの」が個別化された物体として認識されたときに，ラベルをその物体の部分や色や素材ではなく，物体の名前と考えるバイアスが事物全体バイアスである。

このバイアスの存在についてはマークマンとワクテル（Markman & Wachtel, 1988）の実験結果を紹介するのがよいだろう。彼らは，氷ばさみのような3歳の子どもにとって未知の事物を見せた。そして，その事物を指さして“See? It's pewter”と言い，ピューター（pewter：スズ，鉛，真鍮の合金の名前）という子どもが知らないことばを導入した。ここで注意すべきことは，ピューターは物質の名前であり，不可算名詞あるいは形容詞として導入されていることである。前章でも述べたように，英語を母国語とする子どもは2歳後半頃から可算，不可算名詞の区別に気づくようになると報告されている。

子どもが「ピューター」の意味を何と解釈したかを調べるために，マークマンらは「ピューターって何だと思う？」と聞いた。子ども達は「物体」の解釈を示唆する「…するもの」のような，機能性について話すことが多く，色，触覚などの物質の性質について話した子どもはわずかだった。さらに，別の物質でできた同種の物体（木製の氷ばさみ）を見せられて，これはピューターか（Is this also pewter here?）と聞かれると，そうだと答えた。

このことからわかるように，子どもは未知の物体とことばが対応づけられると，そのことばが文法的には物質や属性を指し示すものであっても（つまり英語の場合は不可算名詞か形容詞），文法規則を無視してまで，そのことばを未知の物体のラベルとして解釈してしまう傾向があるのである。

子どもはだいたい生後16ヶ月から20ヶ月くらいの間に急激に語彙数を増やす時期があり，この時期は語彙爆発（naming explosion）の時期と一般的に呼ばれている。先のマークマン達のデータは幼児期の子どもを対象にしたものだったが，ウッドワードは事物全体バイアスがことばの爆発的増加の時期に使われていることを示した（Woodward, 1992）。

彼女は生後18ヶ月の乳児に2つのシーンを2つのビデオモニターから同時に見せた。一方のモニターからは濁流の中を流される岩石などの，物質のダイナミックな運動を見せ，別のモニターでは乳児の知らない，静止している物体を見せた。自由にビデオモニターを見ることを許された場合，乳児はダイナミックな物質の運動のシーンにより興味を示し，注視した。しかし，モニターを見ているときにことばが発話される(1)と，そちらから乳児は静止している物体のほうに注意を移すのである。

この結果から，

(1) 事物全体バイアスが，子どもが2歳前に急速に語彙を増やしていく時期に既に機能していること，
(2) ことばを事物全体と結びつけるバイアスは，必ずしも物体（object）が日常生活の中で一番目立つことから生まれるのではなく，他に，子どもの興味をより強く引くものが回りに存在しても，子どもはまず，未知のことばを（未知の）物体に対応づける，

という2つの重要な点が示された。

事物カテゴリーバイアスの根拠

事物全体バイアスは，未知の「もの」が物体と認識されたときに，子どもがその物体に関係して発話される「ことば」を物体全体を指すラベル（名前）として解釈するバイアスである。しかし，物体の名前には，物体固有の名前と物体の属するカテゴリーの名前がある。前者は同種の個体に拡張できない個体固有の名前（固有名詞）だが，後者はラベルがもともと名づけられた個体のみでなく，同じ種類のカテゴリーに属する他の個体に拡張できる普通名詞である。たとえば，「ポチ」や「フィドー」は特定のイヌの名前であり，佐藤さんの家の犬の名前である「ポチ」は隣の鈴木さんの家の犬には適用できない。しかし，日本語の「イヌ」，英語の “dog” はイヌの事例の集まり，つまりカテゴリーを指し，佐藤さんの家のポチにも鈴木さんの家のタローにも適用できる。

マークマンは，子どもは新しく学んだ未知物のラベルが，名づけられた個体だけに限定される固有名詞ではなく，他の

事物に拡張されるカテゴリー名（普通名詞）であると解釈し，自発的に他のカテゴリーメンバーにラベルを拡張するというバイアスを持っている，と主張し，このバイアスを「事物カテゴリーバイアス」と名づけた。一般的に事物カテゴリーバイアスは事物全体バイアスとの組み合わせで事物（物体）のカテゴリーとラベルを対応づける原則と考えられている。

子どもが未知物に対する新奇なラベルを固有名詞ではなく，普通名詞として解釈することを示したものにホールの研究がある（Hall, 1991）。ホールは2歳児に，子どもにとって既知の動物（ネコ）のぬいぐるみと未知の動物（モンスター）のぬいぐるみを見せ，ラベルが固有名詞であることを示す言い方で，ラベルづけをした。たとえば，モンスターを見せたときに，“This is Zav”と話した。この場合，Zavは文法的には固有名詞である。日本語の場合には「ポチ」と「イヌ」が文法的に異なるクラス（前者が固有名詞，後者が普通名詞）に属することを表面上示す文法上の機能はないが，英語の場合には前者は冠詞がつかず，後者は冠詞が必要なので，表面上の文構造でも，クラスの違いが明らかにされる。たとえば，“His dog's name is Pochi”は正しい文だが，“His dog's name is a/the Pochi”は誤りである。逆にカテゴリーの場合には“I have a dog”が正しく，“I have dog”は誤りとなる。

標準刺激（たとえば，モンスターのぬいぐるみ）に対するラベルづけが導入された後，実験者は，別の洋服を着た同じモンスターのぬいぐるみと2つの別の動物のぬいぐるみ，そして，ラベルづけされた標準刺激のぬいぐるみの計4種類のぬいぐるみを子どもの目の前に並べ，「ザブを椅子の後ろに置いて」「ザブを私に手渡して」などと頼んだ。2歳児が「ザブ」を固有名詞として理解していれば，実験者がラベルをつけた特定のぬいぐるみのみが選ばれるはずである。しかし，子どもがカテゴリーを指す普通名詞として「ザブ」を理解したならば，ラベルづけをされたぬいぐるみと，違う服を着た同じモンスターのぬいぐるみはどちらも「ザブ」であるから，子どもは2つのぬいぐるみのどちらかをランダムに選ぶことが予想される。

子ども達は，この新奇なラベルを解釈するにあたって，ぬいぐるみの種類によって異なった反応を示した。ラベルがネコなどのよく知っている動物につけられたときは，子どもはラベルが固有名詞であると解釈した。しかし，いままでに見たことがない，モンスターのぬいぐるみにラベルがつけられたときは，そのラベルを他のモンスターのぬいぐるみにも拡張し，ラベルをカテゴリーを指示する普通名詞として解釈していることを示した。ラベルは固有名詞として与えられたが，子ども達は文法規則を無視してまで，新奇な名前をカテゴリーの名前と解釈したのである。

子どもにとって「同じ種類」とは何か？

事物カテゴリーバイアスは，子どもが新しいラベルに意味を付与する場合，そのラベルを特定の事物に固有の物ではなく，他の「同じ種類の」事物にも適用できる「カテゴリー名」として解釈する，というものである。では，ここでいう「同種の物のカテゴリー」とはどういうカテゴリーなのだろうか。カテゴリーとは複数の事物あるいは事例をひとつのクラスにまとめたものである。たとえば，いちご，赤いボール，赤ピーマン，赤カブ，赤い自動車などで「赤いもの」というカテゴリーを作ることができる。オレンジ，月，ボール，トマトなどで「丸いもの」というカテゴリーを作ることもできる。冷蔵庫，ガスレンジ，鍋，ふきん，洗剤，炊飯器などは「台所にあるもの」というカテゴリーで，ひとまとまりにできるだろう。では，「同種のもの」の集まりで構成されるカテゴリーとは何だろう。

一般的に子どもは時間，空間的近接性に基づいた連想的結びつきによりグループを作りやすいことがよく知られている。たとえば，一匹の犬の絵を子どもに見せたとしよう。その後に，犬小屋や骨など，犬と連想的連合が強い事物と，狼などの分類学的に同じカテゴリーに属する物の絵を見せて，これ（犬）と同じものはどれか，これの仲間はどれか，などと聞くと大部分の子どもが狼ではなく，骨や犬小屋を選ぶのである。このことから以前は，幼児は大人のような分類学的な基準に基づいたカテゴリー形成ができないと考えられていた（Bruner, Olver & Greenfield, 1966; Inhelder & Piaget, 1964; Vygotsky, 1962）。

マークマンとハッチンソン（Markman & Hutchinson, 1984）は，次に述べる実験で，まず，子どもに自由にクラス分けをさせた。この場合には，子どもは確かに連想的基準を使ってクラス分けをする強い傾向をみせた。しかし，彼女たちが，ひとつの事物にラベルづけをし，他のどの事物にそのラベルが適用できるかを聞くと，３歳児は分類学的な基準に従ってラベルを拡張したのである。

たとえば，彼女たちは３歳児に，パトカーの絵を標準刺激，他の種類の自動車と警察官を選択刺激として見せて，選択刺激のうちのどちらがパトカーにマッチするかを選ばせた。その際，標準刺激にラベルを与えないコントロール群では「これ（パトカー）と同じものを見つけて（“Can you find the same thing as this”）」と聞き，ラベルを与えたラベル群ではパトカーを指さして「これはダックスというの。では，これと同じダックスをこの中から見つけて（“This is a dax. Can you find another dax?”）」と聞いた。コントロール群の子どもの反応はランダムで，分類学的基準で選んだのは平均で全試行の49%だった。しかしながら，ラベル群の子どもは，他のダックスは警官ではなく，他の種類の自動車だと，69%もの高水準で答えた。

一般的に基礎レベル(2) よりも上位のレベルでのクラス分けは幼児には非常に難しいと考えられてきたが，マークマン達は上位レベルでも，ラベルの外延決定の際には，4～5歳児が分類学的基準でクラス分けができることを示した。マークマン達は上記の3歳児を対象にした実験のターゲットカテゴリーを基礎レベルから上位レベルに換え，4～5歳児を対象に実験を行った（表3.1（a）に3歳児の実験で用いた刺激，表3.1（b）に4～5歳児に用いた刺激のセットのリストを示す）。3歳児と同様，4～5歳児でも「同じものを見つけて」と言われたときには雌牛に対してブタよりもミルクを選んだ。しかし，雌牛にダックスというラベルをつけた場合には，ブタとミルクの絵を見せて，「どちらがダックスか」という質問をすると，子ども達はミルクではなくてブタがダックスであるという選択反応を示したのである。

表 3.1 (a) マークマンとハッチンソンの実験の刺激リスト：基礎レベル

Standard Object 標準刺激	Taxonomic Choice カテゴリー選択刺激	Thematic Choice 連想的選択刺激
パトカー	車	警官
テニスシューズ	ハイヒール	足
イヌ	イヌ	ドッグフード
まっすぐな背のついた椅子	安楽椅子	立ち姿勢の人
ベビーベッド	ベビーベッド	赤ちゃん
お誕生ケーキ	チョコレートケーキ	お誕生日プレゼント
青いカケス	アヒル	巣
外のドア	自在ドア	鍵
男性のフットボール選手	男の人	フットボール
水着を着た男の子	つなぎを着た女の子	スイミングプール

表 3.1 (b) マークマンとハッチンソンの実験の刺激リスト：上位レベル

Standard Object 標準刺激	Taxonomic Choice カテゴリー選択刺激	Thematic Choice 連想的選択刺激
雌牛	ブタ	ミルク
指輪	ネックレス	手
ドア	窓	鍵
ベビーベッド	大人のベッド	赤ちゃん
蜂	蟻	花
ハンガー	本	ドレス
カップ	グラス	やかん
車	自転車	タイヤ
電車	バス	トラック
イヌ	ネコ	骨

事物カテゴリーバイアスによる属性推論

事物カテゴリーバイアスはことばの学習を制約するが，それと同時にカテゴリーの属性を子どもが学習する際の制約としても働くと考えられている。これは，子どもはことばが（分類学的）カテゴリーの名前であるという想定のもとにことばに意味を付与していくと同時に，目に見えないカテゴリーの属性（たとえば，さかなの仲間は冷血である，など）が同じラベルを共有する事物（つまり同じカテゴリーのメンバー）にも共有されていると想定している，という考えに依拠するものである。ゲルマンとマークマンは，複数の事物に同じラベルが与えられたとき，目に見えない属性を，子どもが同じラベルを持つ事物に投影するか否かを調べた。これらの研究では，分類学的カテゴリーと連想的カテゴリーを対立させたマークマンとハッチンソンの実験と異なり，分類学的カテゴリーと知覚的な類似性に基づいたカテゴリーを対立させた実験を行っている（S. Gelman & Markman, 1986, 1987; Davidson & S. Gelman, 1990; S. Gelman, 1988; S. Gelman & Coley, 1990; S. Gelman & O'Reilly, 1988）。

ゲルマンとマークマン（S. Gelman & Markman, 1986）は，幼児に異なるカテゴリーのメンバーである２つの事物の絵を見せた（たとえばイルカと熱帯魚）。実験群の子どもはそれぞれの事物のラベルを教えられ（イルカとさかな），それから２つの事物について，絵を見ただけではわからない属性を教えられた。たとえば，熱帯魚については「この**さかな**は水のなかで息をするの」と教えられ，イルカについては「この**イルカ**は水面から顔を出して息をするの」と教えられる。その後，子どもは３番目の絵を見せられるが，この絵はカテゴリ

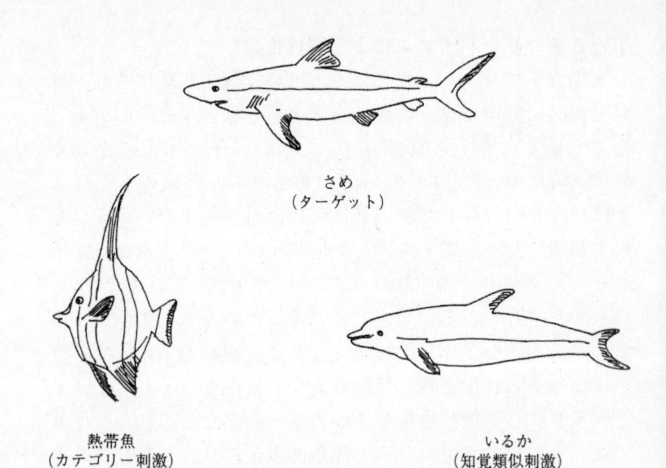

図3.1　ゲルマンとマークマンの実験刺激例

ーメンバーシップ（カテゴリーへの帰属）と知覚的な類似性が対立するように描かれており，この場合はサメの絵が提示された。このサメは，カテゴリーとしては魚の仲間であるが，知覚的には哺乳類のイルカに似ている（図3.1）。そして，実験者はサメの絵を指さして「これは**さかな**よ」と言い，続いてこの「さかな（サメ）」は水の中で息をするか，水から顔を出して息をするか聞いた。この時，子どもは「さかな」とラベルづけされたサメが，知覚的に似ているイルカではなく，同じ「さかな」である熱帯魚と同様に「水の中で息をする」と答えた。しかし，ラベルなしでテストの絵だけを子どもに見せ，「これは水の中で息をするか，水の外で息をするか」と尋ねた場合には，子どもの反応は全くランダムだった。

この結果からゲルマンとマークマンは，子どもはもともと知識がない属性についても，同じラベルを持つ事物に対して属性の帰納的投影（inductive projection）を積極的に行っていると主張する。帰納的投影とは，たとえば，子どもがXという属性が事物Yにあることを知っていると，その属性がYと同じカテゴリーに属する事物Zにもあると自発的に推論することである。その際，YとZが同じカテゴリーに属することは同じラベルを共有することで示される。事物カテゴリーバイアスにより，同じラベルを共有する事物同士は同じカテゴリーに属し，したがって，「同種のもの」で同じ属性を共有するものだという信念を子どもは持つようになる，というのがゲルマンらの主張である。

3.2　形状類似バイアス

マークマン達は，「同種のもの」「類似したもの」は「分類学的基準」で決定されるとして，知覚的な類似性については考慮しなかった。それに対し，ランダウ達（Landau, Smith & Jones, 1988）は知覚類似性，その中でも形状次元での類似性が未知の物体のラベルの外延を決定するもっとも重要な基準になっていることを実験的に示し，これを形状類似バイアス（shape bias）と名づけた。

この実験では，ランダウ達は未知の物体を2種類，標準刺激に用い，それぞれをダックス，リフとしてラベルづけした（この時，ラベルは“a dax”，“a rif”のように可算名詞として与えられた）。選択刺激は，標準刺激の形状，サイズ，触感の

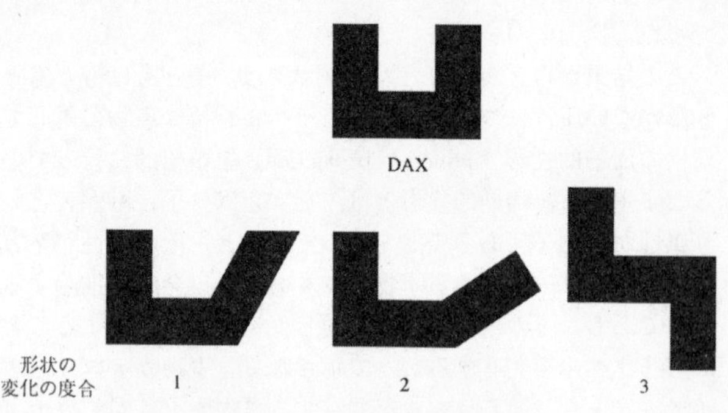

図 3.2　ランダウ達の実験刺激例

3つの知覚次元をそれぞれ1次元ごとに取り出し，残りの次元を一定にして，その次元だけ，3段階に分けて変えていくことによって構成された（図 3.2）。そして，その6個の選択刺激をひとつずつランダムな順序で子どもに見せ，「これもダックス？」というように聞いていった。3歳児は，形がラベルづけされた標準刺激と同じでサイズまたは触感が変えられた場合には，その変化の度合いが大きくても小さくても，同じラベルで呼ぶことができる，と答えた。それに対し，サイズと触感を一定にして，形状を変化させた場合には，その変化の度合いが小さい場合には，イエスと答えたが，変化の度合いが大きくなるとノー，つまり，標準刺激と同じ名前のものではない，と答えた。2歳児でも3歳児ほど強くはないが，同じような傾向がみられた。

マークマンらの事物カテゴリーバイアスの骨子には，子どものクラス分け行動がラベルの有無で異なり，しかも，ラベルがあると大人がするような分類学的基準に基づいたカテゴリーの作り方に近づく，という考えがある。ランダウ達も続く実験で，マークマン達のように標準刺激にラベルを与えるラベル群と，ラベルを与えないコントロール群での子どもの反応パターンを比較した。この場合は，マークマンとハッチンソンの実験と同様，標準刺激に対して，形状を変化させた刺激と，サイズ（または触感）を変化させた刺激の，2つの選択刺激のどちらが標準刺激とマッチするか選択させるパラダイムが用いられた。

ラベル群の子どもは2歳児も3歳児も前の実験同様，物体の形に強く注目し，サイズや触感が著しく違っていても，形が標準刺激と同じ選択刺激を「同じラベルで呼ぶことができるもの」として選んだ。それに対して，ラベルが与えられず，単に「一緒になるものを選んで」と言われたコントロール群の子どもが形状同一性へ着目した反応の割合は，ラベル群よりもずっと少なかった。これに比べ，大人は，ラベル群でもコントロール群でもともに形状の同一性，あるいは類似性に注目し，他の知覚次元を無視してクラス分けをした。

このことから，大人が未知の物体をカテゴリーに分けるときは，形の類似性を基準にすることがわかる。子どもは，ラベルのない，いわば制約されない文脈でのクラス分けでは大人と同じ基準ではなく，知覚的にもっとも目を引く次元に注目することが多いが，ラベルの外延を決定する，という文脈では，大人に近い基準を用いることができることがこの結果から考えられる。

この結果は，ある意味ではマークマンらの事物カテゴリーバイアスを支持するデータといえる。ランダウらは，連想的関係と対比した場合のみでなく，知覚の特徴的次元と対比した場合でも，ラベルづけの文脈ではラベルなしの文脈よりも大人のカテゴリーに近づく，ということを示したのである。実際，形というのは基礎レベルの分類学的カテゴリーにおいてはカテゴリーのメンバーを決定するもっとも重要な要素であることが多い（Rosch, Mervis, Gray, Johnson & Boyes-Braem, 1976）。基礎レベルにおいて，子どもの選択反応からだけでは，形状類似バイアスは事物全体・カテゴリーバイアスとは区別がつかない場合が多い。形状類似バイアスと事物全体・カテゴリーバイアスの関係については，次章でより詳しく検討する。

3.3　相互排他性バイアスとコントラスト原理

マークマンによって提唱された相互排他性バイアス（Markman, 1989; Markman & Wachtel, 1988）と，クラーク（Clark, 1987, 1993）によって提唱されたコントラスト原理は，どちらも既に獲得されたことばが未知のことばの学習を制約する，というものである。事物全体・カテゴリーバイアスや形状類似バイアスは「未知のことばをどのように概念とマッピングさせるか」についての知識であるが，相互排他性バイアスとコントラスト原理は「語彙（lexicon）がどのような構成になっているか」についての知識といえるかもしれない。

コントラスト原理

コントラスト原理（principle of contrast）によれば，子どもは，ことばには完全に意味が重複する同義語というものはないという信念を持っており，この信念がことばの学習を制約する。この考えに従えば，既にラベルを知っている概念に対して未知のことばを聞いた場合，子どもは新しいことばに既に知っていることばと同一の意味を付与するのを避け，別の意味を与えようとするのである。別の言い方をすれば，子どもは未知のことばの意味を推論する際に，概念の中でまだラベルづけされていない場所，つまり，心的語彙辞書の中の空白な場所（lexical gap）を探すのである。

相互排他性バイアス

コントラスト原理は具体的な事物に限らず，あらゆる概念とことばの対応づけの際に適用される。それに対し，相互排他性バイアスは，事物全体・カテゴリーバイアスと相補的な関係にあり，適用範囲が具体的な事物，特に物体に限られている。

相互排他性バイアス（mutual exclusivity bias）により，子どもは，ひとつの事物にはひとつしかラベルがない，と想定する。既に名前を知っているなじみのある事物と未知の事物があり，いままでに聞いたことがない新奇なことばを聞くと，相互排他性バイアスにより，そのことばは名前を知っているほうの事物の別の名前だとは思わないのである。そして，事物全体・カテゴリーバイアスにより，このことばは未知の事物のカテゴリーを指すと解釈する。さらに，未知の事物が状況の中にない場合，子どもは，既に知っている事物の名前と重複しないようにそのことばの指示対象を探す。そのため，子どもは新しいことばは事物の部分，色，あるいは物質の名前だと解釈する，というのがマークマンの主張である。

この章で少し前に紹介したマークマンとワクテルの実験を思い出していただきたい。子どもが未知の事物（この場合は，氷ばさみ）を目の前にして新奇なことば（名詞）を聞いたときは，それが不可算名詞として与えられても（This is pewter），彼らはそのことばを未知の事物全体を指す名前として解釈した。金属製の氷ばさみを見せられて（不可算名詞で），これはピューターだと教えられた子どもは，木製の氷ばさみもピューターだと言った。しかし，なじみのある事物，たとえば金属製のコップを見せられて，それがピューターだと教えられた子ども達が，陶器のコップを見せられて，これもピューターか，と聞かれた場合，ほとんどの子どもはそうではない，と否定した。つまり，子ども達は「ピューター」が「コップ」と同様に事物全体を指示する事物カテゴリーの名前だということを否定したのである。

針生（1991）は，日本人の子どももことばの学習に相互排他性バイアスを適用していることを確認している。日本語の場合には英語のように，固有名詞，可算名詞，不可算名詞の区別がないので，「ダックスを取って」といったときに統語情報を変えることによっては，「ダックス」の解釈にバイアスをかけることはできない。針生は，未知のラベルが既知の物体を指すと考えてしまう解釈にバイアスがかかるような文脈に埋め込ませて未知語を子どもに導入した。しかし，3歳児は文脈を無視して「未知のラベルは未知の事物に対応する」という相互排他の原則に固執した結果を示し，5歳児グループで初めて文脈に即した解釈をすることができた。

マークマンとワクテルの実験結果，針生の実験結果はともに，年少の幼児が未知のことばの意味付与に強い相互排他性バイアスを持ち，状況的には「未知語―未知物」という対応づけに反する場合でも，それに固執する傾向を持つことを示すものである。

コントラスト原理と相互排他性バイアスの相違

コントラスト原理と相互排他性バイアスは，状況内に未知物がある場合には，新奇なラベルは未知物のラベルだと解釈する，ということをともに予測する。しかし，この2つが大きく異なるのは，ある事物に基礎レベルのカテゴリーの名前が既に付与されている場合，未知のことばを階層構造の別のレベルのカテゴリー名として，子どもが解釈するかどうかの予測である。

たとえば，筆者の家に猫がいる。この猫はリリーという固有の名前を持ち，猫という基礎レベルのカテゴリーに属するが，同時に三毛猫という下位カテゴリーに属し，また，虎やライオンとともに，猫科の動物であり，哺乳動物であり，動物でもあり，生物でもある。リリーはまた，「ペット」でもある。相互排他性バイアスはひとつの事物はただひとつのラベルしか持たない，というものである。だから，ひとたび「猫」というラベルが与えられると，子どもはその「猫」が同時に「三毛猫」で「動物」で「ペット」であると理解するのが困難になる，と予測する。もちろん，異なる階層に位置するカテゴリー名を学習するには，これはいずれは克服されなければならないバイアスであるが，ことばの学習の当初は基礎レベルのカテゴリー名の学習が中心であるので，ことばの指示対象を曖昧な状況から推測するうえで探索スペースを狭める強力な道具となる，というのが相互排他性バイアスの主張である（Markman, 1989, 1992, 1994）。

これに対し，コントラスト原理は特にひとつの事物に複数のラベルがつくことを妨げない。それらのことばが全く同一の（つまりカテゴリーのすべてのメンバーが重なる）外延カテゴリーを持たない限りは，コントラスト原理に反しない。したがって，コントラスト原理は，相互排他性バイアスのように基礎レベルのカテゴリー名が子どもの語彙に存在することが，階層構造の他のレベルのカテゴリー名の獲得を困難にすることは予測しないわけである。

相互排他性バイアスと異なる階層構造のラベル学習

最近のいくつかの研究は，子どもは確かに未知のことばを未知の事物に付与するというバイアスを持っているが，同時に，ひとつの事物に階層レベルの異なる複数のカテゴリー名があることを2歳児でも受け入れることを示している。

たとえば，テイラーとゲルマン（Taylor & S. Gelman, 1989）は，1歳半から2歳半の子どもを対象に，この子ども達にも既になじみのある4つの事物を見せた。そのうちの2つはイヌのぬいぐるみで，残りの2つはボールである。2つの実験群が設けられ，ひとつは同じタイプの事物同士が類似している類似群である。ここでは，2つのイヌのぬいぐるみは両方ともテリアで，身につけている服やリボンが異なり，2つのボールも，色だけが異なる同種のビーチボールである。もう一方の群は，同種の事物間の類似度が低い非類似群である。この群では，イヌの組はテリアとバセットハウンドで，ボールの組は一方がビーチボール，他方がサッカーボールであり，それぞれのペアの事物同士は形，サイズ，色などすべて異なる。

それぞれの群で，実験者は事物のひとつ，たとえばイヌのぬいぐるみの一方に未知のラベル（メフ）を与える。そしてその後，「メフを取って」「メフを箱に入れて」などの教示をする。その際，子どもがその新しいことばを基礎レベルの「イヌ」と同義だと解釈したら，類似群でも非類似群でもラベルづけされた特定のぬいぐるみともう一方のぬいぐるみを区別なく取り上げ，ボールのほうは全く選ばないはずである。一方，もし子どもが「メフ」を基礎レベルよりも外延範囲が狭い下位レベルのカテゴリーだと解釈した場合は，類似群では2つのイヌを区別なく選ぶが，非類似群ではラベルづけされたほうのぬいぐるみしか選ばないはずである。テイラーとゲルマンは，

(1) 子どもは類似群のみ新しいラベルを他の同種の事物にも適用し，非類似群では適用しない，

(2) しかし，既に知っているラベル（「イヌ」または「ボール」）の場合には類似度にかかわらず，同種の事物にラベルを適用する，

という結果を報告した。彼女たちはこの結果から，1歳半から2歳半の子どもでも，異なった階層レベルのカテゴリー名を同一の事物にラベルづけできる，と主張した。

同様の結果は，ワクスマンとセンガスの研究（Waxman & Senghas, 1992）でも報告されている。ワクスマンらは新しいラベルをある事物に与えた場合，そのラベルを既にラベルが

ついている別の事物に適用するかどうか調べた。彼らは2歳児に，①おもちゃのホルンとフルート，②フックとクリップ，③泡立て器と氷ばさみ，の3つの事物ペアを見せた。次に，それぞれのペアでひとつの事物の名前を教え（たとえばホルン），別の日にもう一方の事物の名前を教えた（フルート）。そして，その後の何回かの観察セッションで，子どもがそれらのことばを自発的に用いる際，相互排他性バイアスに従って，2つのラベルをそれぞれ対応する事物に限定しているか，あるいはそれをもう一方の事物にも適用するかを観察した。子どもが相互排他性バイアスを用いているなら，既に別の名前がつけられている，もう一方の事物へのラベルの拡張はないはずである。

ワクスマン達によれば，子どもは2つのラベルについて相互排他的ではなく，カテゴリー階層の別のレベルの名前であるという解釈を示した。つまり，最初に教えたことば（ホルンにつけられたラベル「ホルン」）は2番目の事物にフルートとラベルがつけられた後も，ホルンとフルートとの両方に用いられた。しかし，フルートにつけられたラベル「フルート」はホルンには適用されず，実験者がラベルづけした事物であるフルートに限って使用された。さらに興味深いのは，こうした自発的なラベルの指示範囲の拡張がみられたのはペアの事物が互いに類似する場合，ここではフルートとホルン，フックとクリップのペアのみで，知覚的に似ていない泡立て器と氷ばさみのペアについては，ラベルの自発的拡張はみられなかった。

ゲルマン達やワクスマン達の結果は，子どもはひとつの事物に対して事物全体を指示するラベルはひとつしか受け入れ

フルート
ホルン
ウィスク
トング

ない，とするマークマンの相互排他性バイアスと矛盾するものである。他方，先に紹介したマークマンの結果や針生の結果は統語クラスに関する情報や文脈が「未知語—未知物」の対応づけに反しても，子どもは相互排他性バイアスに固執し，なかなか他の解釈を考えられないことを示している。これらの結果から相互排他性バイアスをどのように評価するべきだろうか？

ゲルマンとテイラー，ワクスマンとセンガス，マークマンとワクテル，それに針生の研究結果をつきあわせて，子どもがどのようなときに相互排他性バイアスを抑制できるかを考えてみると，知覚的類似性が重要な鍵として浮き上がってくる。マークマン達の実験と針生の実験では，既知物と未知物は知覚的に類似していない事物であった。この場合には子どもは未知語を未知物の名前であると解釈する強いバイアスを示した。ゲルマン達やワクスマン達の実験では，子どもはターゲットの事物同士が類似しているときに限って相互排他性バイアスを抑え，既にラベルがつけられた階層レベル以外でのカテゴリー名として，事物に別のラベルが付与されることを受け入れた。

相互排他性バイアスは，ことばの学習においては諸刃の剣のような存在である。ことばの学習の当初，子どもが学習することばが基礎レベルのカテゴリーの名前に集中するときは，このバイアスは確かに子どもの探索スペースを効果的に狭める。しかし，語彙の中には同一の事物を指示対象とするが意味が異なる（たとえば指示範囲が異なる）ことばが数多く存在し，その意味ではこのバイアスは適切な状況では抑制されなければ，かえって学習の障害となる。つまり，相互排他性バイアスがことばの学習の制約として有用であるためには，いつそれを抑制すべきかを判断するヒューリスティックスを同時に持つことが鍵になるわけだが，その際，事物同士の類似性が大きな役割を果たすと考えられよう。

一方，同じ事物に対して異なる階層のカテゴリー名を付与することは，コントラスト原理とは矛盾しない。したがって，コントラスト原理は，相互排他性バイアスのようにそれを抑制するメカニズムを考える必要はない。しかしながら，コントラスト原理の問題点は未知のことばを概念に対応づけるときの探索スペースを制約する力が非常に弱いという点にある。たとえば，子どもが「イヌ」ということばを既に知っていたときに，大人がテリアを指して「テリア」という新しいことばを発話した場合，コントラスト原理だけでは「テリア」は「イヌ」とは違う意味だ，と想定するだけで，それが「イヌ」の属性なのか，下位概念カテゴリーなのか，あるいは「イヌ」と「ネコ」を一緒にしたカテゴリーなのか，というさまざまな問題が解決されず残ってしまう。コントラスト原理がことばの学習の制約のひとつとして考慮されるにしても，その他の制約と組み合わされなければならないだろう。

3.4 ことばの意味付与における制約と概念的制約の関係

既に述べたように，前章で扱った概念的制約と，この章で論じたことばの意味付与における制約の間で大きく異なる点は，前者が概念それ自体の制約なのに対し，事物カテゴリー制約は未知のことばの指示対象と指示範囲（外延）を制約する，いわばことばと概念の対応づけの際に働く制約である。

さらに言えば，2つのタイプは内包（概念）と外延を対応づける方向性が異なる。概念的制約の場合は，子どもが生得的に持っている（領域固有の）概念についての知識がことばの学習に先行する，と考える。つまり，内包が先にあり，それが外延を決定するという方向性が示唆されるわけである。

それに対し，形状類似バイアスや事物カテゴリーバイアスの場合は子どもが個々のことばについての内包（概念）理解とは独立に，ことばがどのような原則で拡張され，外延カテゴリーが形成されるかを知っていると考える。したがって，この考えでは，しばしばラベルの学習によって分類学的カテゴリーとその概念が促進される，という逆の方向の対応づけが強調される。つまり，事物カテゴリーバイアスによって，子どもはどの事物がことばの指示対象であり，どれが排除されるかを容易に推測でき，さらに，指示対象とされた事物同士の共通性を帰納することにより，内包（概念）が深まる，と考える。

ただし気をつけてほしいのは，この2つのタイプの制約が相互排他的な対立する理論ではなく，子どもは両者をことばの学習に相補的に用いている，ということである。これは事物全体バイアスを考えるとわかりやすい。

第1章でも述べたように，事物全体バイアスは概念的制約と語彙（lexicon）についての固有な知識である相互排他性バイアスなどの制約の中間に位置づけられる。まず，事物全体バイアスはケアリーらの主張する物体と物質の存在論的認識に基づいたものと考えられる。「もの」が物体として認識されたときに，ラベルをその物体の部分や色や素材ではなく，物体の名前と考えるバイアスが事物全体バイアスであり，この制約をどういう「もの」に適用するかを判断するのが存在論的認識である。

ことばに先行する概念的制約と，ことばの意味そのものについての言語的制約が同時に適用されうることを示したものに，ランダウ達のグループの研究がある。ジョーンズ，スミス，ランダウ（Jones, Smith & Landau, 1991）はこの章で既に紹介したランダウら（Landau, Smith & Jones, 1988）の実験と同様，知覚のどの次元がラベルの外延決定にもっとも重要かという問題について実験を行った。しかし，その際，刺激として用いた事物の半分には，それが生き物の表象であることを示唆するように目玉の絵をつけ，残りの半分は目玉をつけなかった。

目玉がついていない事物を見せられた子ども達は前の実験のときと同様，形状の次元にのみ注目してラベルが選択刺激に適用されるか否かを決めていった。つまり，形状が類似している限りは，サイズや素材が変わっても同じラベルが適用できるという解釈を示したのである。しかし，刺激に目玉がつけられた場合は，形状が保たれても素材（触感）が変わると，子ども達はもはや同じラベルを適用しなかった。この結果から，子どもは形状類似バイアスをすべての物体（存在論的に個別化された事物）に一様に適用するのではなく，対象が生き物の場合には形状とともに他の知覚次元，すなわち触感がカテゴリーメンバーを決定するのに重要だという知識を持っており，その概念的知識が言語的制約である形状類似バイアスのやみくもな適用を修正したのだと考えられる。

カイル（Keil, 1994）の現在進行中の実験でも同様なことが観察されている。この実験では，子どもは，人工物と植物，動物，生物，非生物の自然物のいずれかを対象としてラベルづけを行ったが，形状類似バイアスの強さの度合いが対象領域によって異なった，とカイルは報告している。このように，ことばの学習において，ひとつのタイプの制約のみを適用するのではなく，複数の制約が互いに影響し合いながら同時に働くことが数多く観察される。このメカニズムについては第9章で再び詳しく考察する。

第4章，第5章では事物カテゴリーバイアス，形状類似バイアスをさらに掘り下げ，この2つの制約がどのような関係にあるのか，これらの制約によってことばの意味の外延と内包がどのように発達していくのかを考えよう。

注

(1) この場合，ことばは物体の名前とも物質の名前とも解釈できるように発話された。

(2) 「基礎レベル」(basic level) とは心理学者ロッシュ (Rosch et al., 1976) が提唱した用語である。ロッシュによれば，基礎レベルというのは，一般的に同じカテゴリーに属するメンバーが多くの知覚的特徴を共有し，互いに類似しており，また，隣接する別のカテゴリーのメンバーと視覚的にはっきり弁別ができるレベルである。このレベルのカテゴリーはさまざまな文化でほぼ一様に「ネコ」「ウシ」のような単一の語 (lexime) で表わされる傾向がある。子どもの語彙の中でもっとも初期に，そして頻繁に現われる「ウサギ」「ネコ」「イヌ」「自動車」「ボール」などはこの基礎レベルのカテゴリー名である。分類学的カテゴリーは，この基礎レベルを中心に階層構造が考えられており，「ウマ」「ネコ」「ウサギ」の上に「哺乳類」，さらに，鳥類や魚類，昆虫類なども含む「動物」という上位レベル（superordinate level）のカテゴリーがある。

階層構造の上にいくほどカテゴリーメンバーは多様性を増し，知覚的類似性も低くなっていく。基礎レベルの下には，基礎レベルをさらに分割する下位レベル（subordinate level）のカテゴリーがある。このレベルのカテゴリーはカテゴリーメンバー間の類似度は非常に高くなるが，隣接カテゴリーのメンバーとの弁別が基礎レベルよりも難しくなる。たとえば，コリーとゴールデンリトリバーの弁別は，コリーとペルシャ猫を弁別するよりも難しい。また，下位レベルのカテゴリー名は，単一の語としてより，基礎レベルの語に修飾辞がついた形で表わされることが多くなる（たとえば，「三毛猫」「ペルシャ猫」など）。

第4章　形状類似バイアスと事物カテゴリーバイアス

この章ではことばの意味付与に関する制約として前章で紹介した事物カテゴリーバイアスと形状類似バイアスについて再度考える。両者はもともと，「ことばは類似したもののカテゴリーを指す」という同一の意味付与の原理を反映したものであるが，「類似性」の概念基準がそれぞれ異なっている。ここでは，知覚類似性から，分類学的カテゴリーにとって本質的な非知覚属性へと変わることによって，ことばの意味付与の基準も変遷していく，というSTSモデルを考える。

4.1　子どもにとって「同種のもの」とは何か？

前章で紹介した事物カテゴリーバイアスは，ことばの学習の制約として提唱された諸理論の中でもっとも注目を集め，重要とみなされている制約であろう。その理由は，この制約が単に未知のことばに意味を付与する際の制約であるにとどまらず，認知発達の核ともいえる概念発達と深く結びついているからである。

事物カテゴリーバイアスの骨子は，子どもが新しいことばをカテゴリーの名前と想定し，それを，ラベルづけられた事物と「同種の」あるいは「類似の」ものと子どもがみなす他の事物（objects of the **same/like kind**）に自発的に適用する，というものである。では，ここでいう「同種の」「類似の」とは，**子どもにとって**どういうことなのだろうか？「同種のもの」「類似のもの」の概念は，発達の当初から大人に至るまで同質のものなのだろうか，それとも発達的に質的な変遷をとげるものなのだろうか？

事物カテゴリーバイアスについての別の解釈

ことばと概念の学習における事物カテゴリーバイアスの重要性を強く主張するマークマン（Markman, 1989, 1990, 1992; Markman & Hutchinson, 1984）やワクスマン（Waxman & Kosowski, 1990; Waxman, 1991）は，子どもにとっての「同種のもの」の基準が何なのかを明らかにしていない。事物カテゴリーバイアスは，字義的には「子どもはことばの意味が分類学的カテゴリーに対応するという信念を持っている」というものであるが，これにはいくつかの異なる解釈があり得る。もっとも強い解釈では，すべての分類学的カテゴリーの概念は生得的に存在し，子どもはただそれを母国語でのラベルと対応づけるだけでよい，という解釈があり得る（Fodor, 1983）。しかし，これを信じる発達心理学者はほとんどいないだろう。

一般的には，事物カテゴリーバイアスはことばとカテゴリーがどのように対応するかについての素朴理論であると考えられている。つまり，子どもは「イヌ」「ネコ」「電話機」「椅子」のような概念を生得的に持ってはいなくても，世の中の概念は整然とした論理的な方法で分割されており，それぞれの区分にことばが対応すると信じている，というのが多くの研究者の考えである。しかし，子どもはそれぞれの概念の区分とことばの対応づけをする際に何を基準にしているか，という問題に関しては少なくとも２種類の考え方に分かれている。これは主に知覚類似性の役割をめぐるものである。

事物カテゴリーバイアスと知覚類似性

事物カテゴリーバイアスについて考える際に大きな関心事になるのが知覚類似性との関係である。事物カテゴリーバイアスの重要な主張は，ことばの存在によって，子どもは連想的結びつきや表層的な知覚類似性に惑わされず，カテゴリーにとって本質的な属性に注意を向けることができるという点にある（S. Gelman & Coley, 1990, 1991; S. Gelman & Markman, 1986, 1987; Markman, 1989, 1990, 1992）。この立場では，知覚類似性はカテゴリーの本質ではなく，むしろ，子どもにとってカテゴリーの本質を見えにくくするものとみなされる。しかし，これと同時に，子どもは「カテゴリーのメンバーは目に見えない本質を共有する」という心理的本質主義の信念を持っている。そのため，知覚類似性に惑わされることなく，共通のラベルで指示される事物は，目に見えない本質を共有する「同種のもの」であると考える，というのがこの立場の研究者達の考えなのである。

子どものことばの意味と知覚類似性をめぐる論争

これに対し，子どもがことばの意味について持つ素朴理論とは，知覚類似性の中で，どの次元がそれぞれの文脈でもっとも重要であるかについてのものである，と主張する研究者達もいる（Gentner, 1978; Jones, Smith & Landau, 1991; Landau, Smith & Jones, 1988; Landau, Jones & Smith, 1992）。たとえば可算名詞の文脈で現われることばでは，子どもは形に注目するが，形容詞の場合には色や他の顕現性の高い属性に注目する。あるいは対象に目や足があれば，形の次元だけでなく，触感にも注目するようになる。ランダウやスミスの主張するこの立場では，知覚類似性こそが「類似のもの」を決定する要因となる。

子どもの意味付与の原理にとって，知覚類似性が本質的なものであるか否かについては現在学界で論争の的となっている（この論争についてはLandau, Jones & Smith〈1992〉とSoja, Carey & Spelke〈1992〉のやりとり，Jones & Smith〈1993〉に対するS. Gelman & Medin〈1993〉のやりとりを参照されたい)。この論争は結局のところは，子どもにとって「同種のもの」あるいは「類似のもの」が何なのか，つまり知覚類似性なのか，それとも知覚類似性と独立の「本質」なのか，という問題が焦点となっていると考えてもよいだろう。

知覚類似性か，目に見えない本質か

子どもの意味付与の原理にとって，知覚類似性が中心的かどうかという問題に関しては，実はマークマン達もランダウ達も自分達の立場を支持し，かつ対立する立場を排除することができるデータを提供しているわけではない。たとえば，マークマンとハッチンソンの実験は，標準刺激に対し，連想刺激とカテゴリー刺激のどちらかを選ぶ強制選択のパラダイムを用いている。したがって，仮に子どもが分類学的基準に基づいたカテゴリーを知らなくても，連想的結びつきがラベルの外延カテゴリーを決める基準にならないことを知っていれば，必然的にカテゴリー刺激を選ぶようになる（Golinkoff et al., 1995)。さらにもうひとつ問題なのは，マークマンとハッチンソンの実験でも，ワクスマンとコソウスキー（Waxman & Kosowski, 1990）の実験でも，カテゴリー刺激は連想刺激よりも標準刺激に対して知覚的に類似度が高く，このためどちらの実験でも分類学的カテゴリーと知覚類似性のどちらが重要なのか決定できないことである。

前章で述べたようにゲルマンとマークマンの研究（S. Gelman & Markman, 1986, 1987），それに続くゲルマンの一連の研究（Davidson & S. Gelman, 1990; S. Gelman, 1988; S. Gelman & Coley, 1990; S. Gelman & O'Reilly, 1988）では，分類学的関係と知覚類似性を対比させた実験を行っている。しかし，これらの実験はここで問題になっている，新しいラベルの外延カテゴリーをどのように決めていくかをみるものではなく，複数の事物に同じラベルが与えられたときに，目に見えない属性を何に投影するかをみるものである。したがって，そこではどの事物とどの事物が「同種のもの」であるかが，ラベルによって先に教えられている。ところが，未知のことばに自発的に意味を付与していく場合には，「同種のもの」を子どもが自分で見つけなければならない。マークマンとハッチンソンにしてもワクスマンとコソウスキーにしても，意味を付与していく場合に，子どもが基準にするのが知覚類似性なのか，目に見えない本質的属性なのかという問題に答えることはできないのである。

他方，ランダウ達のグループが用いる実験は，非知覚属性が存在しない無意味な物体（ナンセンスオブジェクト）にラベルを与え，ラベルの拡張のパターンをみていくものである。したがって，ここでも子どもが知覚的な属性と非知覚的本質的属性のどちらをより重視しているかはわからない。この問題に対する答えを見出すためには，知覚属性と非知覚属性のどちらも存在するような有意味な実在の物体を対象にし，両者を分離したときに子どもがどちらを基準にラベルの拡張をするかをみていかなければならない。

4.2　形状類似から分類学的基準への移行モデル——STSモデル

子どもの持つことばの意味付与の原理に重要なのは知覚類似性か目に見えない本質か，つまり形状類似バイアスか事物カテゴリーバイアスか，という二元論的な考えに基づいて両者を比較する前に，もうひとつの可能性を考えてみよう。もしかしたら，子どもにとっての「同種のもの」あるいは「類似のもの」の概念は，発達的に変遷するものかもしれない。子どもはことばの学習の非常に早い時期から，「ことばは類似の事物のカテゴリーを指す」というバイアスを持っていて，それを用いて未知のことばに意味付与をしている。しかし，その際の「類似の事物」の概念が，発達とともに変化していくということが考えられるのではないだろうか。

さらに本書で考えたい可能性は，「類似の事物」についての概念の変遷は外部から教えられるものではなく，自己生成的なプロセスであって，そのプロセスにとって「事物にラベルをつける」行為が大きな動力になっているのではないか，ということである。子どもはラベルを積極的に類似した事物に拡張していくことにより，それらの事物を「同じグループに属する仲間」，つまり「同種のもの」とみなすようになる。それによって知覚的な属性ばかりでなく，目に見えない属性がカテゴリーメンバーに共有されることを発見し，「同種のもの」の決定基準が徐々に形状類似性から，目に見えない属性や機能性などに移行していくのではないだろうか。

STSモデル

前項で述べたような，ことばの意味についての素朴理論の変遷のモデルを，今井，ゲントナー，内田（Imai, Gentner & Uchida, 1994）の3人は，形状類似から分類学的基準への移行モデル（**STSモデル**：the Shape to Taxonomic Shift model）と名づけた。このモデルの特徴は，知覚類似性は目に見えない本質を理解するために必要なものである，と考える点であり，この点で先に述べたゲルマンやマークマンたちの考え方と大きく異なるものである。この考えは，ブルーナーの知覚—機能シフト（perceptual-functional shift; Bruner, Goodnow & Austin, 1956），カイルの特徴的要素—本質的要素シフト（characteristic-to-defining shift; Keil & Batterman, 1984），ゲントナーの関係構造シフト（relational shift; Gentner, 1988）などの概念領域での発達モデルと軌を一にするものである。

このモデルでは，知覚類似性から非知覚的本質的属性への注目のシフトは領域知識に依存していると考える。当該の概念についてよく知っており，概念の因果関係の構造を理解していれば，2歳児でも非知覚属性を基準に意味付与が可能であるし，因果関係の理解ができていないような領域では，シフトが遅れると考える。この点では，上記のシフトモデルの中でもゲントナーの関係構造シフトの考え方にもっとも近い。しかし，STSモデルのユニークな点は，これがことばの意味付与を制約する原理であると同時に，ことばの学習によってその原理自体が変遷していく，と考えることである。

ことばの学習の当初において，ことばとカテゴリーの対応づけを導いていくのは事物の形状類似性であると考える点で，このモデルはランダウ達の主張と一致する。しかし，形状類似バイアス，子どもにとって「同種のもの」の基準が知覚類似性による基準から分類学的な基準に移行する，ということを考慮していない。実際，ランダウらは形状類似バイアスは発達とともにその傾向を強める，といっている (Landau, Smith & Jones, 1988)。しかし，現実の世界では，カテゴリーメンバーシップが知覚類似性を伴わない，あるいは両者が対立する場合が少なからずある。発達的移行を考慮しない形状類似バイアスでは，幼児だけでなく，年長の子ども，あるいは大人までも，見かけだけにとらわれたカテゴリー形成しか行わない，と予測することになってしまう。また，形状類似バイアスは子どもがカテゴリーの外延（カテゴリーメンバー）を決定し，自発的にカテゴリーを形成するメカニズムを説明しようとするが，そのことがカテゴリーの属性とその本質に関する理解にどのようにかかわっていくのかを説明していないのである。

4.3 STS モデルの実験的検討

実験パラダイム

今井，ゲントナーと内田（Imai et al., 1994）は事物カテゴリーバイアス，形状類似バイアス，STS モデルを比較し，どのモデルが幼児の持つことばの意味付与の原理を説明する理論としてもっとも妥当であるかを検討した。そのためにデザインした実験パラダイムは以下の3つの重要な要素を含むものである。

まず第一に，マークマンやワクスマンの実験パラダイムを修正し，分類学的基準（taxonomic relations）と知覚類似性を切り離した場合に，子どもがどちらの基準に従って新しいラベルを拡張するかを調べるため，カテゴリー刺激，形状類似刺激，連想刺激の3つの中から標準刺激にマッチするものを選ばせた。ここでは，カテゴリー刺激は一般に大人の基準で標準刺激と同種のものとみなされ，知覚的属性以外で重要な属性を共有するが，知覚的には標準刺激と似ていない事物である。形状類似刺激は，標準刺激と知覚的には類似しているが，大人の基準で同じ分類学的カテゴリーに属するとは考えられない事物である。同一刺激セット内では形状類似刺激のほうが，カテゴリー刺激よりも知覚類似度が高いと評定されるように刺激を構成した。また，標準刺激とカテゴリー刺激が属するカテゴリーは，基礎レベルよりも上位のレベルとした（第3章の注2を参照）。これは，一般には基礎レベルのクラス分け課題は3歳児でも天井効果（もともと成績が高いので何をしてもそれ以上の差がでないこと）に達してしまい，ラベルの効果が出にくいが，上位レベルではグループ分けの際に，ラベルの外延決定という文脈があるか否かで幼児の課題遂行行動に影響が出ることが報告されているからである（Waxman & R. Gelman, 1986）。

実験操作の第二点は実験条件で，ラベルづけと概念カテゴリーの間に特殊な関係が存在するか否かを調べるために，マークマンとハッチンソンの研究と同じように，名詞ラベル群とコントロール群を設けた。第三に，STSモデルの予測する，子どもが持つことばの意味付与についての原則の発達的変遷を調べるため，３歳児，５歳児と大人の３つの年齢群を対象とした。

予測されるパターン

事物カテゴリーバイアス，形状類似バイアス，STSモデルからは，それぞれ次のような反応パターンを予測することができる。事物カテゴリーバイアスは，ことばの学習の当初から，子どもはことばに意味を付与し外延カテゴリーを形成するにあたっては，表層的な知覚属性ではなく，目に見えない本質的な属性を重視すると考える。したがって，少なくとも子どもが事物の間に共有される重要な非知覚的な属性（たとえば機能性など）が何かを知っている場合は，知覚類似性よりもその非知覚属性がラベルの外延カテゴリーを形成する基準となるはずである。

一方，形状類似バイアスの主張を字義通り解釈すれば，年齢グループにかかわらず，被験者は皆，ラベルをカテゴリー刺激ではなく形状類似刺激に適用するであろう。

最後にSTSモデルでは，幼児のグループ，特に３歳児のグループでは形状類似性に基づいてラベルの外延カテゴリーを形成するが，年齢が増すにつれ，知覚類似性よりも分類学的に重要な基準に着目して外延カテゴリーを形成するようになると予測する。

もし，これらのモデルが一般的な認知バイアスではなく，ことばの意味と概念領域の対応づけに関する特殊なバイアスであるなら，そして，先行研究が示すように，子どもは一般的には連想的な関係からグループを作ることを好むとしたら

(Smiley & Brown, 1979; Markman & Hutchinson, 1984)，名詞ラベル群とコントロール群の場合で子どもの反応パターンが異なることが予測される。つまり，コントロール群では子どもは連想刺激を選択する割合が高いが，名詞ラベル群では連想刺激を選択しない，というパターンが見られるはずである。

実験手続き

3歳児グループ（平均年齢3歳9ヶ月）と5歳児グループ（平均年齢5歳5ヶ月）の各30名と，大学生30名が実験に参加した。被験者はすべて英語を母国語とするアメリカ人である。被験者の半分は名詞ラベル群，残りの半分はコントロール群に，ランダムに振り分けられた。

実験材料は，子どもが日常生活でよく知っている事物の色つきの絵が描いてあるカードで，9セットからなる。各セットは標準刺激，カテゴリー選択刺激，形状選択刺激，連想選択刺激の4つの絵カードからなる。前述したように，カテゴリー刺激は標準刺激と上位レベルで同じ分類学的カテゴリーに属すが，知覚的には類似度が低いように描かれている。形状刺激は知覚類似度，特に形状の類似度が高いが，カテゴリー的なつながりはない。連想刺激は標準刺激と連想的な結びつきがあるが，分類学的には同じカテゴリーに属さず[1]，形状も似ていない事物の絵が描かれた（図4.1）。刺激セットのリストは表4.1に示される。

実験の手続きについて説明しよう。恐竜の人形の「ジョジョ」に実験者が質問をし，ジョジョがわからないからその子どもに「教えて」と助けを求める，という設定にした。子どもは自分がわかることを人に，特に自分より小さい子に教え

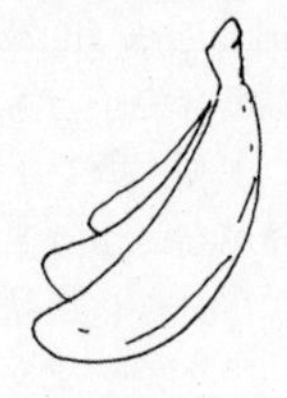

標準刺激

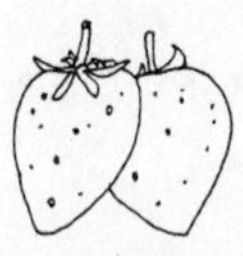

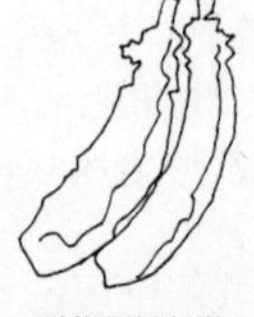

カテゴリー刺激　形状類似刺激　連想刺激

図 4.1　今井，ゲントナー，内田の実験刺激例

るのが大好きである。子どもが課題に反応すると，ジョジョが（実験者が声を変えてジョジョのふりをする）「○○ちゃん，教えてくれてありがとう。さすがにもう大きいから何でも知ってるね。ぼくも○○ちゃんのようにはやく大きくなって何でもわかるようになりたいよ」などと言う。そうすると，子どもはすっかり自信がつき，楽しい気持ちになって，嬉々として最後まで課題をやってくれる。

実験は子どもひとりひとり個別に行われた。名詞ラベル群の子どもは「ジョジョちゃんに新しいことばを教える」ことになる。新しいことばは「恐竜語」で，みんなが話す英語ではない，と教えられた。この「恐竜語」の設定は新奇なことばに対して子どもが単に「くだもの」など自分の知っている

表4.1　今井・ゲントナー・内田の実験の刺激リスト

Standard 標準刺激	Taxonomic カテゴリー選択刺激	Shape 形状選択刺激	Thematic 連想選択刺激
りんご	ぶどう	風船	ナイフ
クッキー	キャンディー	コイン	ミルク
ネックレス	指輪	縄とび	女の人
バナナ	いちご	羽	サル
人参	じゃがいも	爪	ウサギ
太鼓	フルート	バケツ	太鼓のばち
サンドイッチ	ハンバーガー	積み木	オレンジジュース
お誕生日ケーキ	パイ	帽子	プレゼント
皿	四角い皿	コンパクトディスク	フライドチキン

ことばを機械的に置き換えて反応しないように(2)，また，相互排他性バイアスの適用により，英語で知っていることばのカテゴリーを避けて意識的に別の刺激を選択するということがないように，と配慮したためである。実験者はジョジョに「これ（標準刺激を指差して）はフェップというの。〇〇ちゃんフェップっていえる？　じゃあね，ジョジョちゃん，こっちを見て（選択刺激をひとつずつ指差す)。この中でこれ（標準刺激）と同じようにフェップって呼ぶものはどれかな」と言う。すると，ジョジョが「ぼくわからない。〇〇ちゃん，教えて」と子どもに聞くわけである。これらの教示はもちろん，英語で行われた。そのため，“This is a fep. Can you find another fep?” というように，fepが可算名詞であることが明らかになっている。コントロール群では，実験者はジョジョに「同じ仲間」を探すように言い，同様にジョジョが子どもに助けを求めた。

ラベルのあるなしが子どもの反応パターンに影響を与えるか？

子どもの反応は，名詞ラベル群とコントロール群との間で大きく異なった。図4.2をみるとすぐわかるように，コントロール群の子どもは「同じ仲間」を連想関係によって選ぶ反応が多かった。他方，名詞ラベル群では，連想刺激を選ぶ頻度は3歳児，5歳児とも非常に低かった。

この結果は先行研究（D'Entremont & Dunham, 1992; Markman & Hutchinson, 1984; Waxman & Kosowski, 1990）の結果と一致するもので，子どもは「イヌと骨」のように連想連

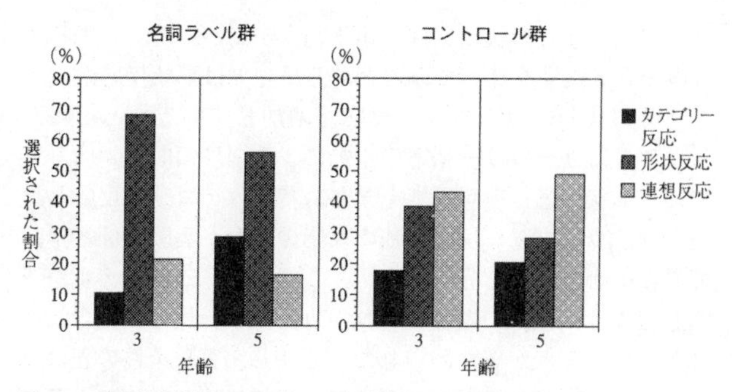

図 4.2　形状類似性とカテゴリーを対立させた実験の結果：ラベル群とコントロール群の比較

合関係にあるもの同士を同じグループにする傾向があるが，新しいことばに意味を付与する場合にはこのバイアスを抑えることができることが確認された。

ラベル拡張の基準は形状類似性か，カテゴリー関係か？

次にこの実験の主眼である，名詞ラベル群の子どもがカテゴリー刺激を選ぶか形状刺激を選ぶかをみてみよう。図 4.2 のグラフを見るとわかるように，3 歳児，5 歳児のグループともに形状刺激の選択がカテゴリー刺激よりずっと多い。3 歳児では形状反応が 68％に対し，カテゴリー反応がわずか 10％だった。5 歳児グループでも，形状反応の割合が 56％ともっとも高く，カテゴリー刺激は 28％に過ぎなかった。

カテゴリー反応の発達的増加

3 歳児，5 歳児ともに，未知のラベル拡張の文脈でカテゴリー関係よりも形状類似性に頼る割合が高かった。しかし，3歳児と5歳児を比べてみると，5歳児では形状反応が減少し，その代わりカテゴリー反応が増加していることがわかる。さらにカテゴリー反応の年齢による増加傾向を調べるために，形状反応と連想反応をまとめて，カテゴリー反応と対比させ，カテゴリー反応と他の反応の割合が実験条件と年齢で異なるかどうかを分析した[3]。この結果，STSモデルが予測したように年齢の増加につれ，カテゴリー反応の割合が増加していることが確かめられた。しかし，実験条件の差はみられず，名詞ラベル群がコントロール群に比べ多くのカテゴリー反応を誘発する，という事物カテゴリーバイアスの予測とは反するものであった。

興味深いことに5歳児でのカテゴリー反応はラベル群のほうがコントロール群よりも高かったのに比べて，3歳児では逆にコントロール群のほうがラベル群よりもカテゴリー反応の割合が高かった（図4.3参照）。これは3歳児がラベル群で形状への注目度が非常に強かったために，カテゴリー反応がその分だけ減少したためであると思われる。

大人の反応

次に大学生の被験者の結果を報告しよう。コントロール群では大学生の被験者も子どもと同様，連想刺激をもっとも高い割合で選択した（58%）。カテゴリー反応は1/3（33%）に過ぎず，形状反応はほとんどみられなかった（9%）。名詞ラベル群での反応パターンはコントロール群と大きく異なり，連想反応はほとんど皆無であった（2%）。注目のラベル群内でのカテゴリー反応と形状反応の相対的な割合は，子

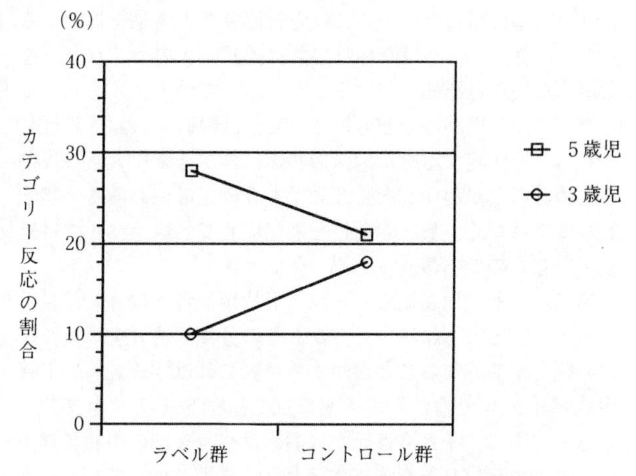

図4.3　カテゴリー反応における年齢と条件の交互作用

どもの場合と大きく異なり，カテゴリー反応の割合が64%でもっとも高く，形状反応が33%であった。

実験の結果のまとめ

この実験の結果には注目すべきポイントが3つある。まず第一に，子どもも大人もコントロール群と名詞ラベル群の反応パターンが大きく異なった，という点である。大人でも子どもでも，複数の仕方で事物をグループ分けし，カテゴリーを作ることができる。特に連想関係が際立つ場合，自由にグループ分けをしてよければ，大人でも連想関係を基準にしたグループ分けを好むことが示された。しかし，ラベルの拡張という文脈が加わると，3歳児でさえも連想関係をグループ分けの基準に用いない。これは先行研究での結果を追認するものであり，子どもは具体物名詞は連想関係のカテゴリーを指示しないことを知っていることを示している。

第二に，幼児期の子どもにとって，「同種のもの」「類似したもの」を決定する際には，形状類似性が非常に大きな役割を占めることがわかった。3歳児も5歳児もいわゆる分類学的基準ではなく，形状類似性を基準にして名詞ラベルの外延を決定したのである。

第三に，幼児期初期でみられた形状類似性への強い注目は年齢の増加とともに減少し，かわりに分類学的カテゴリー反応の割合が高くなることがわかった。これは字義通りの形状類似バイアス理論による予測に反し，STSモデルを支持するものである。子どもは確かに名詞ラベルを別の事物に適用して外延カテゴリーを形成するとき，原則に従って行う。その原則とは「名詞ラベルは他の類似した事物（like kind）に拡張される」というようなものであろう。しかしながら「類似したもの」の定義が，「形状の類似」という基準から，「概念にとって，もっとも重要な属性における類似性，共通性」という基準へと変わっていくのである。

この「最も重要な属性」は知覚的な属性に限らず，たとえば自然物なら目に見えない本質（DNA，分子構造など），人工物なら機能性，その人工物を作った人の意図など，その事物の外観からは観察できないものである場合が多い（S. Gelman, 1988; S. Gelman & O'Reilly, 1988; Keil, 1994; Kemler-Nelson, 1995; Medin & Ortony, 1989）。もちろんそのような非知覚属性は，当該の概念カテゴリーについてかなり知識がないとわからないものである。当該のカテゴリーとその事例（カテゴリーメンバー）についての知識が乏しく，外観から観察される情報のみしか手元にない場合は，そのような目に見えない属性はクラス分けの基準になりようがない。

では，子どもの形状類似を基準にしたラベル拡張は，標準刺激とカテゴリー刺激との間の非知覚的共通性が全く見出せなかったために起こったのであろうか？　それとも，非知覚的共通性を知っていたにもかかわらず，子どもは形状類似性により強く重みづけをしたのであろうか？　このことを調べるため，知識チェックの実験を実施した。

4.4　カテゴリー知識をチェックする実験

この実験は先程紹介した実験で用いた刺激セットについて，幼児にカテゴリー関係の知識や非知覚属性の知識が欠けていたのかを調べるために行った。実験者はそれぞれのセットで，カテゴリーにとって重要な非知覚属性を基準に，子どもがカテゴリーを作れるかどうかを調べた。ここではそのような属性として，機能性を取り上げた。実験で用いられたターゲットカテゴリーは，野菜，果物，あるいは人工物であり，カテゴリーメンバーを決める際には，機能性が形状類似性よりも重要な基準になる。

対象は３歳から４歳３ヶ月までの幼児10人である。実験者は子どもの前に標準刺激と選択刺激のカードを合わせて４枚，全部一度に並べた。前の実験と同様にぬいぐるみを用いて，たとえば「ジョジョは食べられるものを見つけたいの」とか，「ジョジョは女の人が飾りにつけるものを探しているの」など，カテゴリーの機能性に関する情報を与え，４つのカードの中からジョジョの欲しいものを捜すよう教示した。子どもがカードを選択したら，そのセットの中にジョジョの欲しいものはもう無いかを尋ねて，子どもが選択するべきものを全部取ったかどうか確かめた後，次のセットに移った。このようにして合計9回（9セット）行った。

知識コントロール実験の結果

スコアリングに際しては，子どもがセット内で標準刺激とカテゴリー刺激の両方を選び，それ以外のものを選ばなかった場合のみ正答と数えるという，厳しい基準を用いた。しかしながら正答率は高く，77%にも達した。これは前の実験で名詞ラベル群のカテゴリー反応がたった10%であったことと際立つ対照を示している。

このことから，子どもはカテゴリーについての機能性のような属性を知っており，分類学的な知識を少なくとも部分的には持っていることがわかる。

4.5 2つの実験からの考察――初期の形状類似バイアスの意義

前の実験での未知のラベルを拡張する文脈における子どもの反応と，コントロール実験での機能性に基づいたグループ分けの反応の大きな隔たりは，次のことを示唆するように思われる。ことばの学習の初期には，子どもは形状類似バイアスを未知のことばに意味を付与する際のデフォルトの原則として用いており，断片的な非知覚的属性の情報のみでは，そのバイアスを克服できないのではないだろうか。つまり，初期には子どもはまず「名詞は形状が類似したものの集まり（カテゴリー）の名前である」という原則のもとにことばを学んでいく。その原則は徐々に修正され，形状類似性よりも重要な非知覚属性があれば，それを基準にしたカテゴリーに基づいて意味を獲得していくのである。

形状類似バイアスは，子どものカテゴリーの学習にとって必ずしも，無益な，あるいはマイナス効果をもたらすものではない。大人でも，よく知らないカテゴリーについては，ある事物がそのカテゴリーに属するか属さないかどうかの判断は，知覚類似性に依存したものになる。実際には，知覚属性は目に見えない属性と相関関係があることが多く，たとえば人工物の機能はその全体的形状あるいは部分の形状からわかることが多いし，動物などでも体の形から属性が予測されることが多い（Tversky & Hemenway, 1984）。したがって，形状類似性に基づいてカテゴリーメンバーを決定するのは全体的には理に適っている原則といえよう（Rosch et al., 1976）。その原則を抑えて非知覚的な属性をラベル拡張の基準にするには，非知覚属性の存在を断片的に知っているだけでなく，領域についてのかなり洗練された知識があり，どうしてその非知覚属性が知覚属性よりも重要なのかを理解していることが要求されるのではないだろうか。

一般的にこの実験で扱ったような上位レベルでのカテゴリーは，幼児には難しいといわれている（Markman, 1989）。これは，基礎レベルに比べ上位レベルのカテゴリーはカテゴリーメンバーのサンプリングが広範囲になるため，メンバー間に共通な特性が見つけにくくなり，非知覚的な属性のうちどの属性が他のメンバーにも適用されるのか，あるいは基礎レベル内でのメンバーだけに共通なのかの判断を要するからであろう（S. Gelman, 1988；この問題は第6章でより詳しく取り上げる）。3歳児が，機能性などについての知識を断片的には持っていたのにもかかわらず，形状類似性に基づいて未知のラベルの外延決定をしたことはこのことから説明できる。

さらに興味深いのは，この結果と第3章で紹介した針生（1991）の結果との共通点である。針生の実験では，未知のラベルの指示対象として未知物と既知物があり，それらの間に類似性がない場合には，3歳児は強い相互排他性バイアスを示し，文脈情報を無視して未知物を選んだ。この章の実験でも，3歳児は機能性など非知覚属性の知識があり，事物のカテゴリー関係に関する知識をある程度持っていたにもかかわらず，ラベルの拡張に際してはそれを無視して形状類似バイアスを示した。年少の，特に3歳位の子どもが内的な原則を持った場合，適用すべきでないときにそれを抑制することができず，年長の子どもに比べて，しばしば過剰適用してしまうという可能性が考えられる。

領域知識と意味付与の基準の移行

では，子どもが強い形状類似バイアスを抑制して，非知覚属性を基準にしてラベル拡張ができるのは，どのような場合だろうか。

知識コントロール実験の結果を，項目（刺激セット）ごとに実験1の結果につきあわせていくと，領域知識が子どもの示したカテゴリー反応の割合（全体の試行の中で，カテゴリー刺激を選択した試行の割合）に関係しているのではないかという仮説が間接的に支持されていることがわかる。

たとえば前述の実験において，機能性に関する属性が実験者から与えられ，それに該当するもののカテゴリーを作る場合には子どもの正答率は平均するとかなり高かったが，項目ごとのばらつきもある程度みられた。9つのセットの中で6セットは正答率が80％を越えたが，残り3つのセットについては，セット2（クッキーと飴）が60％，セット3（指輪とネックレス）が60％，セット6（太鼓とフルート）が50％と比較的低い正答率であった。

前の実験のラベル群の3歳児の反応パターンを，正答率の高かった6項目と低かった3項目を別々に，グループごとに平均してみると，正答率の低かった3項目のカテゴリー反応の平均はわずか4％であった。正答率の高かった6項目の平均も13％で，機能性によるクラス分け課題でのカテゴリー反応の割合とは大きく隔たりがあるものの，正答率の低い3項目よりはカテゴリー反応の割合が多くなっている。このことは，外延を決定する際の形状類似から非知覚属性への基準の移行は，概念カテゴリーの間で異なることを示している。また，この移行は，単に年齢の増加による一律の移行ではなく，領域知識の増加により知識が構造化され，一貫性のある因果関係の説明ができるようになった領域から順次移行していくことを示唆するものである。

次章では，形状類似バイアスから非知覚的な属性へ外延カテゴリーの決定の基準が移行するメカニズムを，さらに詳しく考えてみよう。

注

(1) 存在論木の上までたどっていって「自然物」とか「人工物」などのノードのレベルまでいけば（あるいはある組ではそんな上までいかなくても），連想刺激や形状刺激も標準刺激と同じ「カテゴリー」に属すわけだが，ここでの「同じ分類学的カテゴリーに属さない」とは「標準刺激とカテゴリー刺激の関係よりは分類学的に遠い関係にある」という意味である。

(2) しかし，翻訳ストラテジーについてはデュアントレモントとダンハム（D'Entremont & Dunham, 1992）の実験により，ほとんど影響がないことが示されている。

(3) 統計的分析には対数線形分析（loglinear analysis）を用いた。この実験の従属変数（説明されるべき変数のこと）は選択頻度なので，通常慣習的に行なわれる分散分析よりも，対数線形モデルの方が適している。また，この実験パラダイムでは反応タイプが3つあり，それぞれの反応タイプ間の比較に興味があるわけだが，分散分析ではそれができないのでこの分析を用いることにした。

対数線形モデルには要因間の独立性の検証を目的にした対称モデルと，分散分析などのように従属変数を独立変数で説明することを目的とした非対称モデルがあるが，ここでは後者を用いた。この分析では，カテゴリー反応の割合対他の2つの反応を一緒にした割合が従属変数となり，年齢と実験条件とを独立変数にしたモデルを実行した。この分析の結果は，本文中で述べたように年齢要因と2要因の交互作用が有意で，実験群の要因はカテゴリー反応の割合に有意な影響を与えないことを示した（対数線形分析については多数参考書があるが，Kennedy〈1992〉は社会科学の実験の分析の仕方をわかりやすく書いてある。分析にはSASのcatmod procedureを用いた)。

第5章　形状類似バイアスから事物カテゴリーバイアスへの変化のメカニズム

この章では，幼児が未知のことばに意味付与をする基準が，形状類似性から，カテゴリーにとって本質的な非知覚属性へと変わっていく際のメカニズムについて考えていこう。

5.1　形状類似バイアスの意味

前章で紹介した今井達（Imai et al., 1994）の実験では，幼児，特に3歳児は，ラベルの外延を決める際に強い形状類似バイアスを示し，当該カテゴリーについての重要な非知覚属性（機能性）を知っているにもかかわらず，形状類似に基づいて未知の名詞ラベルを拡張した。しかし，この形状類似バイアスの現象の捉え方として2つの考え方が可能である。ひとつの考え方として，ランダウ達が主張するように，子どもの意味付与に関する原則は知覚次元に限られる，という可能性が考えられる。この立場では，子どもが未知のラベルに意味を付与する際に，形状類似性がことばの外延を決定する第一義的な役割を果たすと考える。しかし，形状類似バイアスの現象を説明するのに別の解釈も考えられる。以下ではこの可能性について考えてみよう。

自然物の領域のカテゴリーではそのカテゴリーを決める定義的特徴は一般的に目に見えないものであり，素人にはわからないものである（Putnam, 1975）。たとえば「トラの定義をしなさい」といわれたら，一般的には「4本足の動物で，大型のネコのように見えて，黄色い身体に黒い縞模様がある」というように知覚的特徴をあげる人が多いだろう。だが他方，突然変異によって縞模様がない白いトラも，怪我をして足がないトラも「トラ」である，と考える人もいるだろう。しかし，ではその根拠は，と聞かれると大人でもなかなか答えられない。

一般的に人間は，カテゴリーには目に見えない本質的な属性が存在し，その属性に則ってカテゴリーメンバーシップが決定される，という信念を持っているという。しかしそのような「本質的な属性」が具体的に何なのかは知らないのである。これを心理的本質主義（psychological essentialism）という（Medin, 1989; Medin & Ortony, 1989; Murphy & Medin, 1985）。さらに研究者の中には，子どもも大人同様に，このような心理的本質主義に導かれて概念獲得に臨んでいる，と考える人達がいる（S. Gelman, Coley & Gottfried, 1994; Keil, 1994）。

この論理で考えると，形状類似バイアスは次のように解釈できるかもしれない。つまり，子どもはカテゴリーにとってもっとも重要なのは，目に見えない本質的属性であることを信じている。しかし一方では，未知のラベルに意味を付与し外延カテゴリーを決定する際，形状類似性に依存するのは，知覚的な属性が目に見えない属性と相関関係にあるからということも知っている。そのため，カテゴリーメンバーの決定の基準としては形状類似性に頼ることになる。つまり，形状類似バイアスは心理的本質主義のヒューリスティックスとして適用されているに過ぎない，と考えるわけである。この立場はことばの意味外延を決定する際に，知覚類似性の役割を果たすことは認めるものの，ランダウ達の考える，形状類似バイアスのモデルの考え方とは本質的に異なる。

前章で紹介した今井達の実験では，この2つの可能性，つまり，子どもの意味付与の原則が知覚類似性の次元だけを問題にしているのか，あるいは心理的本質主義のヒューリスティックスとして形状類似性に依存するのかを特定できない。これは，多くの場合に相関関係のある，知覚次元と非知覚次元とが実験操作として分離されたからである。

本章でこれから紹介する2つの実験（Imai, 1994，実験4，5）は，この問題を明らかにするため行われた。最初の実験は3歳児に焦点を当て，第二の実験では3歳児と5歳児の意味付与原理に発達的な変化がみられるか否かを明らかにすることを目的とした。

5.2　意味付与の原則における変化のメカニズム

この章の2つの実験は上記の目的の他にもうひとつ重要な目的がある。STSモデル（Shape to Taxonomic Shift model）自身は，子どものそれぞれの概念領域で知識が精緻化されるのに伴って，未知のラベルの意味付与の基準が，目にみえる表層的属性から，必ずしも目にみえないカテゴリーの本質的属性へと移行することを予測するものである。これから紹介する実験では，その領域知識の精緻化に，ラベルと知覚類似性の双方が寄与するのではないか，という可能性を検討する。

ピアジェ（Inhelder & Piaget, 1958）やブルーナー（Bruner,

Goodnow & Austin, 1956; Bruner, Olver & Greenfield, 1966）は，幼児の形成するカテゴリーが，領域普遍的に表層的な知覚類似性や連合関係に基づいたものであると考えた。この伝統的な考えに対して，ゲルマンやカイルのような最近の発達心理学者は，子どものことばの学習は当初から原則に基づいた，理に適ったものであり，知覚類似性は子どもがほかに何も頼るものがない場合の最後の手段である，と考えるようになっている（S. Gelman & Coley, 1991; S. Gelman & Markman, 1986, 1987; Keil, 1989, 1994; Kemler-Nelson, 1995）。

それらの考えに対して本章で考えるメカニズムは，領域固有の知識が発達の原動力と考える点でピアジェ，ブルーナーの考えとは異なり，ゲルマンやカイルと軌を一にする。しかし，筆者の考えるメカニズムは，知覚類似性の役割をどのように考えるかにおいてゲルマンやカイル達と大きく異なる。ここでは，知覚類似性が子どもにとって他に何もないときに頼る最後の手段であるとは考えない。むしろ子どもが当該概念カテゴリーについて，知覚属性，非知覚属性を含めて，どのような属性が重要であり，それらが互いにどのような因果関係にあるかを理解するために積極的な役割を果たす，と考えるのである。この考えは，知覚類似性ブートストラッピングモデルと呼ぶことができよう。

ブートストラッピングとは何か

ブートストラッピング（bootstrapping）というのは最近の言語発達を説明するうえでよく使われる用語（たとえば，Pinker, 1987, 1989; Gleitman, 1990）である。ブートストラッピングというのは，非常に簡単に説明してしまえば，子どもが学習経験の全くないゼロの段階から，言語における抽象的なシステムの学習をいったいどうして始めることができるか，という問題から発せられており，これを編み上げ靴の紐を下から上へかけていくイメージになぞらえたメタファーである。編み上げ靴の紐のように，子どもは自分でゼロの状態から，ある足掛かりを作り，それを基にしてまた次のさらに次の段階に進んでいく。

ピンカー（Pinker, 1987, 1989）のブートストラッピングモデルは，本章で扱うことばの意味の学習のモデルではなく，統語ルールを学習するモデルだが，ブートストラップという概念を説明するのに適した例なので，簡単に紹介しよう。ピンカーは，子どもが動詞の複雑な句構造を学習できるのは，特定の句構造がどのような意味カテゴリーと結びついているかのルール（linking rule）を生得的に知っているからであると考える。この生得的に子どもに内在する意味カテゴリーが，統語ルールに従った動詞の句構造の複雑な学習へと子どもを「ブートストラップする」，というのがピンカーの主張である。ただし，気をつけてほしいのは，この場合の「意味カテゴリー」というのは，本書で扱っているような自然言語に語彙として存在する意味カテゴリーではなくて，もっと抽象的な「意味素性（semantic primitives）」に近いものである。たとえば，動作を行う主体（agent），エージェントによって影響を被るもの（affected theme），移動（motion），方向（direction）のようなものがピンカーの考える「意味カテゴリー」である。子どもはエージェントが動詞の主語と結びつくというルールを生得的に持っている（とピンカーは主張する）。そこからスタートして，子どもは言語インプットの中から発話される文のどの位置に主語が現われるか，という統語ルールを学ぶ（たとえば，英語なら動詞の前に現われる）。そして今度は「主語」という統語概念を基に，主語が単数か複数かを動詞に反映させなければならない，というルール（agreement rule）を学ぶことができるのである。

知覚類似性ブートストラッピング

本章で考察したい知覚類似性ブートストラッピングとは，子どもの既存の知識が，非常に希薄な状態から，大人の持つような属性の因果関係のような属性間の抽象的な関係を含む整然と構造化された状態へと自分自身を「引き上げる」ために知覚類似性を用いる，という仮説である。このモデルの骨子は，子どもが事物間の知覚属性にのみ注目する類似性の段階から，知覚属性を切り離した抽象的な関係に基づく類似性に気がつくようになる段階へと移行する際に，知覚類似性がその移行を促進し，子どもを「ブートストラップする」というものである。このモデルは，アナロジーなどの非言語領域での発達モデルとして，ゲントナーが提唱したモデルに基づくものである（Gentner & Rattermann, 1991; Kotovsky & Gentner, 1994）。

この考え方をコトフスキーとゲントナーの実験を例にして簡単に紹介しよう。彼女たちは3つの図形が描かれている絵を子どもに見せた。その3つの図形の間に成り立つ関係を子どもが抽出し，さらにその同じ関係を他の図形の間にも見出して，2つの絵が「同じ」であることを子どもがわかるかどうかを調べることがその実験の関心事であった。たとえば図5.1の「標準刺激」の絵に描かれている3つの図形は，真ん

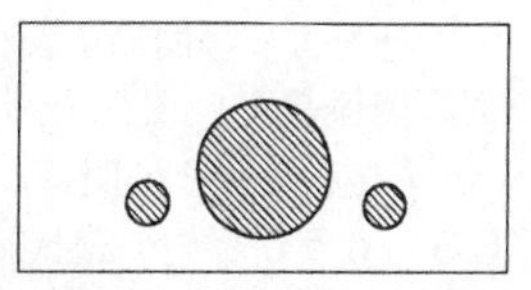

標準刺激（大きさの次元で対称関係）

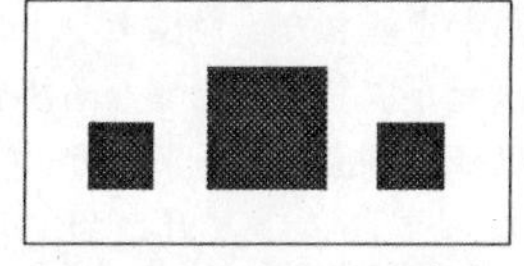

正答（大きさの次元で対称関係）

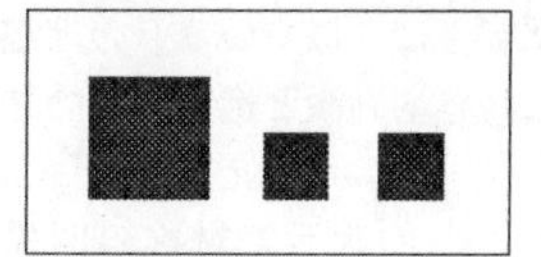

ディストラクター

(a) 同一知覚次元

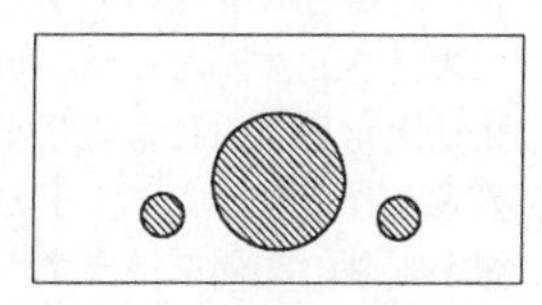

標準刺激（大きさの次元で対称関係）

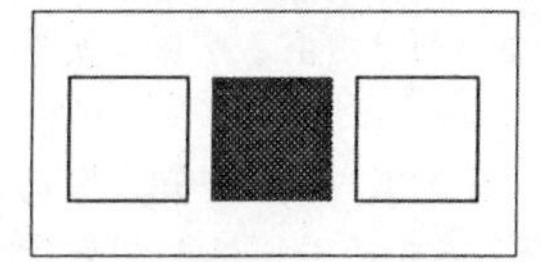

正答（色の次元で対称関係）

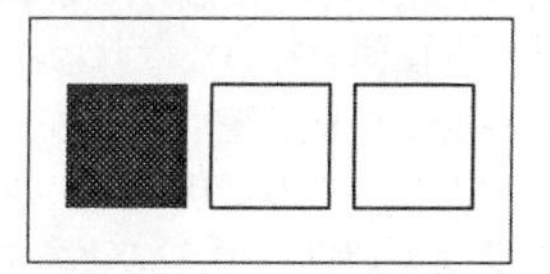

ディストラクター

(b) 異なる知覚次元

図 5.1　コトフスキーとゲントナーの実験刺激例

中の図形を中心にした「対称」の関係を表わしている。その下の2つの絵のうち「関係選択」は，描かれている図形自体は標準刺激の関係と異なるが，その関係は標準刺激と同じ「対称」の関係にある。もうひとつの選択刺激はディストラクターで，図形間に「対称」の関係はない。実験者は子どもに標準刺激を見せた後，2枚の選択刺激のカードを見せ，標準刺激に「似ている」のはどちらかを尋ねた。刺激セットには，標準刺激と選択刺激の知覚次元が同じ場合と異なる場合を設けた。たとえば図5.1（a）は標準刺激と選択刺激が「大きさ」の次元で対称の関係になっている。これに対し図（b）では，標準刺激における対称関係は大きさの次元だが，選択刺激での対称関係は色の次元で成り立っている。

4歳児は知覚次元が同じ場合には関係のマッチングができたが，知覚次元が異なる場合の関係のマッチングは非常に難しく，パフォーマンスはランダムだった。知覚次元が異なると，子どもには，知覚次元と関係とを切り離して考えるという抽象的な操作が要求される。つまり，子どもはまず，ある知覚次元において標準刺激の関係を抽出するわけだが，選択刺激にそれを照応させるときには，知覚次元は無視して事物間の関係のみに注目して標準刺激と選択刺激を照応させる，という操作を行わなければならないわけであるから，課題の難易度はグッと増すのであろう。

しかし，このプリテストの後，子ども達は同じ知覚次元での関係の照応ができるようになるまでトレーニングを受けた。その後，異なる知覚次元で関係を照応することを要求したポストテストを試行したが，プリテストでわずか41%だった正答率が74%にまで上昇した。

コトフスキー達はこの結果を次のように説明している。子どもは事物間の関係などの抽象的な概念を理解するのに，知覚類似性のような具体的な類似性がともに存在することを必要とする。複数の事物の間に存在する「対称」や「推移率」などの関係が別の事物の間にも存在するかどうかを理解するためには，まず比較する事物のセット同士が抽象的な関係のみならず，知覚次元でも類似していることが重要なのである。

子どもは2つのセットの知覚次元での類似性により，まず，セット間の類似性を認め，知覚次元で2つのセットの共通性を配列し，つきあわせる。この操作をアラインメント（alignment：整合的比較）という。この操作がより高次の抽象的な関係のレベルでのアラインメントを招くのである。しかし，何度も具体的な知覚次元と高次の関係の次元の双方で図形セットの間のつきあわせ（アラインメント）を経験するに伴って，子どもはセット間の照応で重要なのは低次の知覚次元ではなく，高次の関係の次元であるということに気づくようになる。そして最終的にはセット間で知覚類似性がない場合でも，抽象的な高次の関係のみに基づいて照応ができるようになるのである。ここにおいて知覚類似性は，具体的な知覚類似性のレベルでしかマッチングができなかった子どもを，高次の抽象的な関係でのマッチングができる状態に「ブートストラップ」する役割を果たすと考えられる。

ラベルと知覚類似性の相互作用

これまでにも述べてきたように，ラベルの存在は子どものカテゴリー形成とそれに対応する概念の理解に大きな役割を果たすといわれている。同じラベルがつけられることによって，子どもは異なる事物を「同じもの」，「類似したもの」として認識し，事物間の共通性を見出そうとする。

共通性を見出す際に重要なのは，実は，色，形，機能性，行動／運動パターンなどの属性を個々にバラバラに見つけ出すだけでなく，それらの属性を整合的に表象の中に位置づけ，それぞれの属性が互いにどのような関係にあるか，どの属性とどの属性がどのような因果関係で結ばれており，カテゴリーにとって本質的な属性なのかを理解したうえで，共通の属性を抽出することである。

当該カテゴリーについての知識が希薄で個々の属性が整合的に表象されていないときには，たとえカテゴリーにとって重要な機能性についての属性を知っていても，子どもが注目する共通性は知覚次元，特に形状類似性であることが前章の実験の結果で示された。この原因は，もしかしたら前章の実験では，非知覚属性と知覚属性が分断されてしまったため，子どもは２つの事物（標準刺激とカテゴリー刺激）の間に類似性を認めることができず，表象のつきあわせ（アラインメント）が全く行われなかったためかもしれない。しかし，もし知覚的に類似していない２つのカテゴリーメンバーに知覚的に類似しているカテゴリーメンバーが加わったらどうだろう。コトフスキーとゲントナーの実験と同様に，知覚類似性が知覚的属性と非知覚的本質的属性の両方を含む表象のつきあわせを促し，非知覚属性のほうがカテゴリーにとって重要であることを子どもに気づかせる役割を果たすという可能性も考えられるのではないだろうか。

5.3　3歳児の形状類似バイアスと知覚類似性ブートストラッピング実験

今井（Imai, 1994）は，幼児の形状類似バイアスについて，より詳細に検討し，さらに知覚類似性ブートストラッピング仮説を検討するため，2つの実験を行った（実験4，5）。この2つの実験のポイントは前章の実験に加え，標準刺激と形状が類似しているカテゴリーメンバーを選択刺激の中に加えたことである。また，1回目の通常の試行の後，もう一度残った3つの選択刺激を選ばせることによって知覚類似性ブートストラッピング効果の有無を検討する。また，ラベル群とコントロール群における反応パターンを比較することにより，知覚類似性とラベルの相互作用によるブートストラッピング効果があるかどうかをみる。

もしコトフスキーとゲントナーが報告したような知覚類似性ブートストラッピング効果があるとしたら，子どもはこの新たに加えた刺激により，アラインメントが促進され，標準刺激と「類似したもの」を選ぶ決定基準を形状類似性から非知覚属性に移行させることができるという可能性が考えられる。さらに，前章でも考察したように，ラベル自身にもアラインメントを促進させる役割があるとしたら，このブートストラッピング効果はラベル群のほうが大きいことが予測されるのである。

刺激セットの構成

前章の実験では，標準刺激と同じカテゴリーメンバーであ

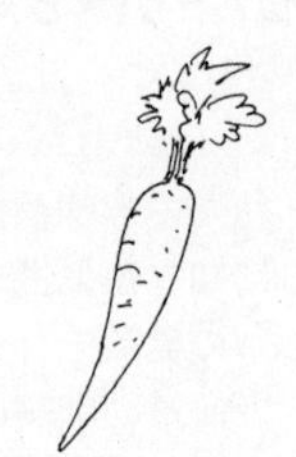

図 5.2　ブートストラッピング実験の刺激例

表 5.1　ブートストラッピング実験の刺激リスト

Standard 標準刺激	**Tax-Sim** 形状類似-カテゴリー刺激	**Tax-Dissim** 形状非類似-カテゴリー刺激	**Shape** 形状類似-非カテゴリー刺激	**Thematic** 連想刺激
りんご	なし	バナナ	風船	木
アイスクリーム	ペロペロキャンディー	棒キャンディー	コマ	アイスクリームスクーパー
ネックレス	指輪	イアリング	縄跳び	女の人
レモン	オレンジ	パイナップル	フットボール	ナイフ
人参	とうもろこし	じゃがいも	ロケット	ウサギ
太鼓	タンバリン	フルート	バケツ	棒
杖	松葉杖	歩行補助具	傘	腰の曲がったおばさん
帽子	警官帽	ソンブレロ	イグルー	少年
丸皿	丸細盆	蒸し焼き鍋	CD	ローストチキン

るカテゴリー刺激は，知覚的には，標準刺激に対して類似していないように実験刺激が構成されていた。それに対しこの実験では，前章の実験で用いた3種類の選択刺激に，標準刺激と同じカテゴリーに属し，知覚的にも類似している第四の選択刺激を加えた構成の刺激セットを用いた。したがってひとつの刺激セットの中には標準刺激，連想刺激（Thematic），形状類似 - カテゴリー刺激（Taxonomic-Similar；略して Tax-Sim），形状非類似 - カテゴリー刺激（Taxonomic-Dissimilar；略して Tax-Dissim），形状類似 - 非カテゴリー刺激（Non-taxonomic-Shape-similar；略して Shape）の5つの絵カードが含められた[1]（図 5.2）。この刺激セットは全部で9セットあり，そのリストを表 5.1 に記した。

実験手続き

この実験は，アメリカ人の3歳児 30 人（平均年齢3歳7ヶ月）を対象とした。30 名はコントロール群とラベル群のどちらかにランダムに振り分けられた。実験手続きで，前章の実験と異なる点は，知覚類似性ブートストラッピング効果を検討するため，同じセットについて2回の試行を行い，2つの選択刺激を選ばせたことである。1回目の試行を9セット通して行った後，最初のセットに戻って，また通して2回目の試行を行った。

前章の実験と同様，コントロール群では「同じ仲間」を探すように教示された。1回目の試行の手続きは前章の実験と同一である。2回目の試行では，標準刺激の隣に1回目にその子どもが選んだ刺激を並べておき，それから少し離して残りの3つの選択刺激を置く。そして，「ジョジョちゃんに，さっき，これ（標準刺激）の仲間はこれ（1回目の選択）だって教えてくれたよね。あのね，本当はもうひとつ，仲間になるものがあるの。この中で（残りの選択刺激の絵を指して），この2つ（標準刺激と1回目に選択された刺激）の仲間になるのはどれ？」と尋ねた。ラベル群では，手順はコントロール群と同様だが，前章の実験と同様，標準刺激に「恐竜語の名前」であるナンセンスラベルを与え，そのラベルと同じラベルがつけられるものを選ぶように教示した。

3歳児の形状類似バイアスはラベル群に特有か？

まず，1回目の試行の結果のみに注目して，前章の実験に引き続き，子どものクラス分けのしかたがラベル拡張の有無で変わるかどうかをみてみよう。前章の実験や他の先行研究の結果と一致して，ここでも名詞ラベル群とコントロール群で反応パターンが異なった（D'Entremont & Dunham, 1992; Markman & Hutchinson, 1984; Waxman & Kosowski, 1990）。コントロール群では，3歳児達はどの選択刺激にも顕著な反応バイアスをみせず，Tax-Dissim 刺激を選択した割合が非常に低かったほかは，残りの3つのどれも，ランダム反応に近かった（全くランダムに反応した場合には，それぞれの選択刺激を選ぶ確率は25%）。これに比べて，名詞ラベル群の子どもははっきりとした反応傾向を示した。彼らは，外見が標準刺激の事物に類似しているShapeとTax-Simの2つの選択刺激を高い割合で選択し，外見が似ていない残りの2つ，Tax-Dissim，Thematicはほとんど選択しなかったのである（図5.3を参照）。したがってこの実験でも，3歳児の形状類似バイアスはラベルの意味付与の文脈に特有のものであるこ

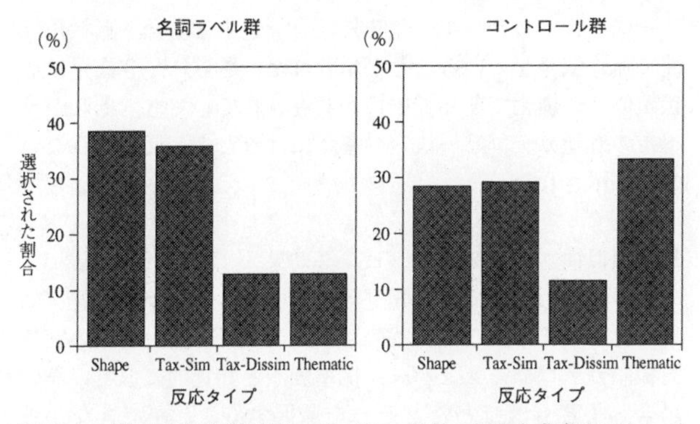

図 5.3　3 歳児は形状類似性とカテゴリー関係の相関を考慮するか：ブートストラップ実験 1 回目の試行

とが示された。

3 歳児はラベルの意味付与に知覚類似性と非知覚属性の相関関係を考慮するか

ここでのポイントは，3 歳児が形状という知覚属性のみに基づいて分類を行うか，あるいは形状とともに機能性などの非知覚属性が共有されている場合，その非知覚属性を考慮に入れて分類を行うかである。このことを確かめるためには，ラベル群で，Tax-Sim 刺激が Shape 刺激よりも多く選択されたかどうかが焦点となる。

図 5.3 で明らかなように，この 2 つが選択された割合にはほとんど差はなく，むしろ，平均値では Shape 反応が Tax-Sim 反応よりもわずかに高かった。したがって，前章の実験に引き続き，この実験でも，3 歳児では上位レベルのカテゴ

リーについてのラベルの意味外延を決定する場合，形状類似性に強く依存していることが示された。さらに，3歳児は形状類似性に加えて非知覚属性が共有されていても，それがラベルの外延カテゴリー決定の基準にはほとんど反映されないことが示された。

知覚類似性ブートストラッピング効果

この実験の主眼である知覚類似性ブートストラッピング効果に目を移そう。この実験の1回目の試行では，前章の実験同様，カテゴリーメンバーが標準刺激と知覚的に似ていない場合，子どもはほとんどそれを選択することができなかった。しかし，知覚類似性ブートストラッピング仮説に従えば，1回目の試行でTax-Simを選んだ場合に，Tax-Dissim刺激を選択する割合がベースラインの割合（つまりTax-Simが介在しない場合）より高くなることが予想される。

図5.4は，ラベル群とコントロール群の3歳児が1回目にTax-Sim刺激を選択した場合に，2回目の試行で残りの3種類をそれぞれ選択した割合と，前章の今井の実験での反応パターンとを比較したものである。前章でのカテゴリー刺激（Taxonomic）はこの実験でのTax-Dissim刺激に相当する。1回目の試行でTax-Sim刺激が選択された場合，2回目の試行はShape，Tax-Dissim，Thematicの3つの選択刺激からの選択となり，ちょうど，前章の今井達の実験と同じ状況になることに留意してほしい。

図5.4から，ラベル群，コントロール群ともに1回目にTax-Sim刺激が選択された後ではTax-Dissim刺激の反応がベースラインよりも上昇していることがわかる。前章の実験

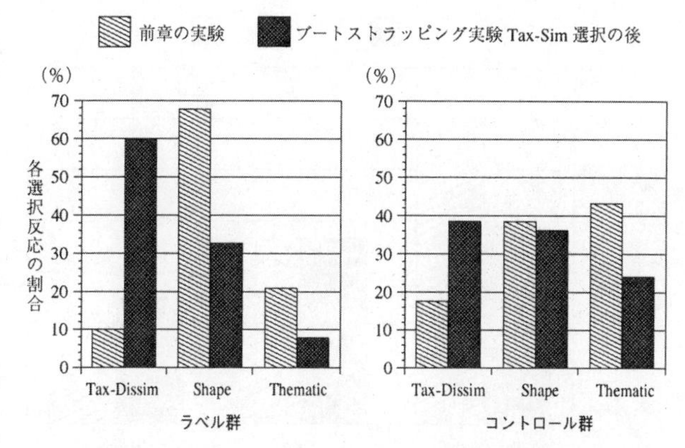

図5.4　3歳児におけるブートストラッピング効果：前章の実験結果との比較

のラベル群ではShape 68％に比べTaxonomicは10％しか選択されなかったが，この実験のラベル群では，Tax-Simが選択された後ではShape 32.7％に対しTax-Dissimが59.6％と，Shapeよりも高い割合で選択されている。前章の実験以外の類似の先行研究（Baldwin, 1992; Golinkoff et al., 1995）のどれをとっても，形状類似への反応傾向が際立って高かったことを考えると，Tax-Dissim選択の59.6％は注目に値する数字である。また，ここで重要なことは，この2回目の試行における高いTax-Dissim反応の割合は，1回目でTax-Sim刺激が選ばれ，標準刺激と並べられた場合にのみ見られたということである。Shape刺激あるいはThematic刺激が最初に選択された場合の2回目の試行では，Tax-Dissim反応の増加は見られなかった。

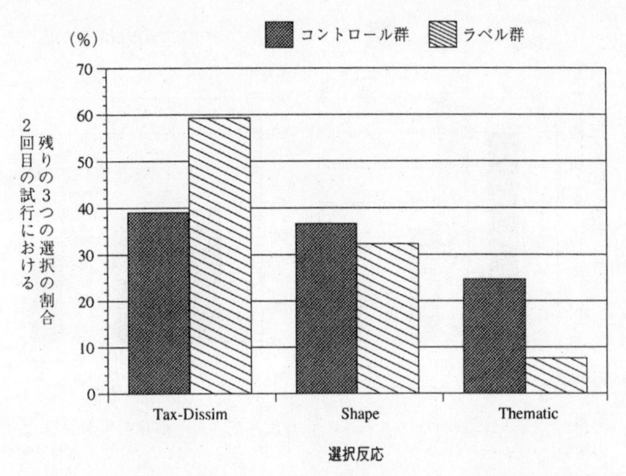

図5.5　3歳児のブートストラッピング実験において1回目にTax-Simを選択した場合の2回目の反応：ラベル群とコントロール群の比較

コントロール群でも，ラベル群ほどではないが，前章の実験に比べてTax-Dissim刺激が選択された割合は上昇している。このことから，ラベルの有無にかかわらず，知覚類似性によるブートストラッピング効果があることが示唆されるが，その効果はラベルの拡張の文脈でクラス分けをする場合に特に大きいことが示唆される。以下ではこの可能性についてもう少し詳しくみていこう。

ブートストラッピングにおけるラベルの役割

図5.5は，Tax-Sim刺激が選択された後の2回目の試行で残りの3つの選択肢が選択された割合を，ラベル群とコント

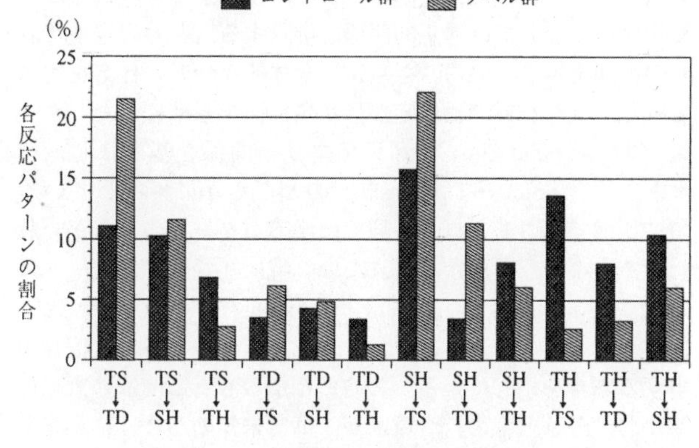

図5.6　3歳児のブートストラッピング実験における1回目と2回目の反応組み合わせパターン：ラベル群とコントロール群の比較

ロール群で直接比較したものである。図から明らかなようにブートストラッピング効果，つまりTax-Dissim刺激の選択がなされた割合はラベル群のほうがずっと高い。このことは，ラベルの存在が子どもに事物間の属性の比較を促し，知覚類似性ブートストラッピング効果を強化する，という当初の仮説を支持するものである。

ラベル群とコントロール群の反応パターンの違いは図5.6でよりはっきり示される。この図は，子ども達に対して行われた2回の試行の組み合わせパターン12通りの割合がどのように分布しているかを，コントロール群とラベル群で比較したものである。まず，Thematic刺激の選択を1回目あるいは2回目の試行のどちらかに含む反応パターンは，すべてコントロール群のほうが高くなっており，子どもはことばの意味付与に際しては連想的関係を排除する，という定説どおりの傾向を示している。さらに，全体的な分布の仕方を比べてみる。ラベル群では反応が形状類似性を基準にしたパターン（Shape → Tax-Sim）か，カテゴリー関係を基準にしたパターン（Tax-Sim → Tax-Dissim）のどちらかに集中しているのに比べて，コントロール群では反応パターンの分布が分散してそのような集中がみられない。特に知覚類似性ブートストラッピングを示す Tax-Sim → Tax-Dissim の組み合わせでは，ラベル群の子どもはコントロール群の子どもの 2 倍に相当する割合を示している。このことからも，ことばの意味付与における子どもの持つ原則が，単に未知のことばに意味を付与する際のヒューリスティックスであるにとどまらず，知覚類似性との相乗効果により，子どもを非知覚的本質的類似性にブートストラップする役割を果たすことが示される。

5.4　知覚類似性ブートストラッピング効果の発達実験

発達実験のねらい

次に，子どもの未知のことばへの意味付与の原則と事物のクラス分けにおけるブートストラッピング効果の発達のメカニズムを考えるため，今井の次の実験（Imai, 1994, Experiment 5）を紹介しよう。前章では，未知のことばの意味付与の原理が発達とともに（より正確には領域知識の増加とともに）移行する STS 仮説（Shape-to-Taxonomic-Shift hypothesis）について論じた。しかし，前章の実験の結果は，3 歳と 5 歳の間でカテゴリー反応の割合に発達的増加がみられたものの，実際には，5歳児でも形状反応のほうがカテゴリー反応よりも依然優勢であった。

これから紹介する実験では，形状類似バイアスがカテゴリーバイアスに移行していくメカニズムとして，3歳児と5歳児の形状類似バイアスを知覚類似性ブートストラッピングの視点から再検討するが，それにあたって以下の2つの仮説を考える。まずひとつには，形状類似性のみを基準とする強い形状類似バイアスから，本質的な非知覚属性のみを基準にしたカテゴリーバイアスに移行する中間の段階として，形状類似性と非知覚属性の相関に気づき，形状類似性がある場合のみ，非知覚属性をことばの意味の外延カテゴリー形成の基準に取り入れる段階があるのではないか，という仮説である。この章の前の実験では，3歳児は1回目の試行でTax-Sim刺激の選択の割合がShape刺激の選択と変わらず，強い形状類似バイアスを示した。しかし，5歳児は，形状類似性と全く独立に非知覚属性の共有に注目することはできなくても，形状が類似している事物どうしなら，そこに共有される非知覚属性に注目することができるかもしれない。

もうひとつの仮説はブートストラッピングに関するもので，知覚類似性ブートストラッピングがどの程度起こるかに，発達的な違いがあるのかもしれない，という可能性である。この章の前の実験では，ラベルと知覚類似性が相乗的にブートストラッピング効果をもたらし，3歳児でも，時には非知覚属性が形状類似性よりもカテゴリー形成に重要であることに気づくことができることを示した。しかし，5歳児は，このブートストラッピングのプロセスを3歳児より自発的に，かつ容易に行えるのではないだろうか。つまり，形状類似バイアスから事物カテゴリーバイアスへの発達的移行を導いているのは，ラベルと知覚類似性を相乗的に用いて，整合性のない表象から，より整合性の高い表象へと自分を「ブートストラップする」能力なのではないだろうか？

ブートストラッピング効果の発達実験手続き

被験者は前章の実験同様，アメリカ人の3歳児グループと5歳児グループ各16人，計32人である。この実験ではラベルなし群との比較は行わず，すべての被験者が未知のラベルの外延カテゴリー決定の文脈で分類することを求められた。教示は3歳児のブートストラッピング実験のラベル群での教示と同じである。この実験と前の実験が異なるのは，選択刺激の中から連想刺激が除かれ，Tax-Sim，Tax-Dissim，Shapeの3つの選択刺激の間からの選択としたことである。これは，前章の実験や他の先行研究（Baldwin, 1992; Markman & Hutchinson, 1984；Golinkoff et al., 1995）から，子どもはラベルの外延カテゴリーの形成には連想的な基準を用いないことが繰り返し示されているので，ラベル群でのブートストラッピング効果の発達をみることを目的としたこの実験では，連想刺激は不必要な実験ノイズを加えるだけと判断したためである。

3歳児と5歳児の形状類似バイアスの違い

3歳児と5歳児の形状類似バイアスを比較するため，本章の最初の実験と同様，まず1回目の試行の反応パターンからみてみよう。図5.7に示されるように3歳児の反応パターンは，前の実験の結果と同様に強い形状類似バイアスを示して

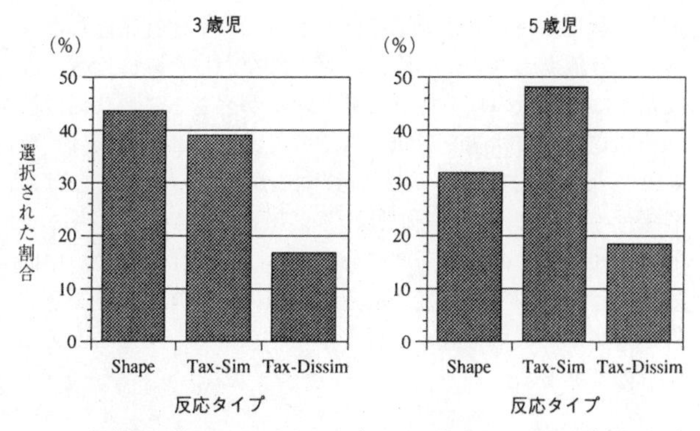

図5.7　知覚類似性ブートストラッピングの発達：1回目の試行における3歳児と5歳児の比較

いる。まず，Tax-Dissim 刺激の選択が非常に少なく，さらに注目すべきことに，Shape 反応の割合がわずかではあるがTax-Sim 反応の割合より高かった（43.8％対 39.6％）。大学生に刺激の形状類似性を評定してもらうと，Shape 刺激のほうが Tax-Sim 刺激よりわずかに類似性が高いと判定されたので，3歳児の反応パターンはShape と Tax-Sim の形状類似性のわずかな差を反映しているものと思われる（章末注1参照）。この結果は前章の実験，本章の前の実験と全く一致するものである。

5歳児は3歳児と同様に，Tax-Dissim 刺激をほとんど選択しなかった。しかし，Tax-Sim 反応と Shape 反応との割合が逆転し，Tax-Sim 反応の割合のほうが Shape 反応の割合よりも高かった（48.6％対 31.9％）。この結果は，3歳児と5歳児では，形状類似バイアスの性質に発達的な違いがあることを示している。3歳児では，形状という知覚属性しかラベルの外延カテゴリー形成に考慮されなかったのに比べ，5歳児では，形状の類似性を必要とするが，さらに形状類似性と非知覚属性の相関を考慮できるのである。この結果は，前章で紹介したSTSモデルと一致するが，さらに，ことばの意味付与の原理が形状類似性のみに頼るものから，より本質的な非知覚属性のみを基準にしたものに移行する間に，中間段階として，形状類似性がある場合にのみ非知覚属性を意味外延の基準として考慮することができる段階があることを示すものである。

知覚類似性ブートストラッピング効果の発達による増加

本章の最初の実験と同様に，ブートストラッピング効果の焦点はTax-Sim刺激が1回目の試行で選択された場合，2回目の試行でShapeとTax-Dissimのどちらを選ぶかである。ここでも3歳児と5歳児の違いが顕著にみられた。

各反応パターンの年齢別分布は図5.8に示される。この図で特に注目すべきなのは，2回の試行共カテゴリーにもとづいた反応を示すTS→TD（Tax-Sim→Tax-Dissim）の反応パターンの割合に際だった年齢差がみられることである。実際，図5.9からわかるように，3歳児グループでは，この場合，2つの選択刺激が選択された割合はほぼ半々であったが，5歳児グループでのTax-Dissim刺激の選択の割合は80％を越すものであった。最初のブートストラッピング実験と同様，3歳児がShape刺激に対してTax-Dissim刺激をほぼ同じ割合で選んだこと自体，3歳児の一般的なベースライン（つまり，Tax-Sim刺激が選択肢の中になく，Tax-Dissimと

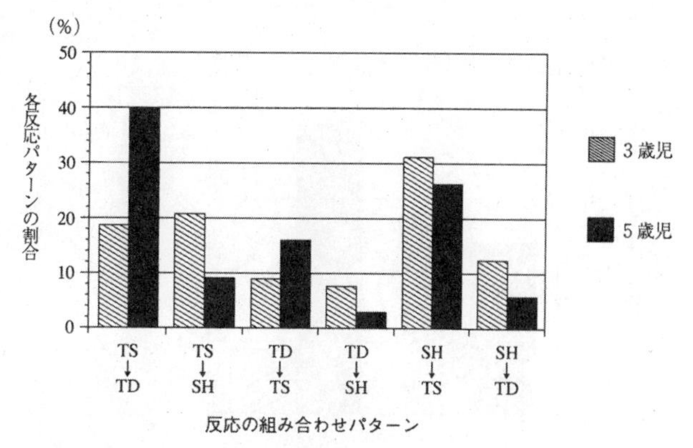

図5.8　ブートストラッピング発達実験における1回目と2回目の反応組み合わせパターン

Shapeのみから選択する場合）からの上昇が示されている。しかし，5歳児ではTax-Dissim刺激の選択が圧倒的に優勢な反応傾向となっており，Tax-Sim刺激が選択肢の中に含まれたことによる知覚類似性ブートストラッピング効果が強く示唆されている。

この結果は知覚類似性とラベルは相乗的に子どもをブートストラップするが，ブートストラッピング効果の強さ自体も発達的に増大することを示している。この段階を経て，最終的には知覚類似性が介在しなくても本質的な非知覚属性に基づいてラベルを拡張し，カテゴリーを形成できるような段階へと進んでいくのではないだろうか。

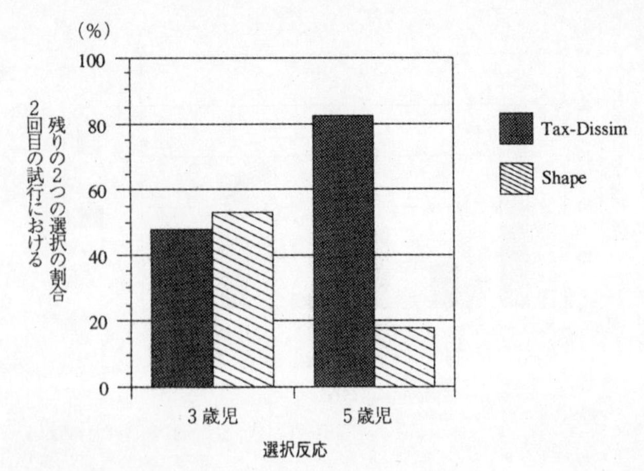

図 5.9　ブートストラッピングの発達：1回目に Tax-Sim を選択した場合の2回目の反応

注

(1)　刺激の妥当性を調べるため，大学生を使って2つの予備調査を行った。予備実験に参加した30人のアメリカ人大学生は15人ずつの2グループに分けられ，ひとつは前章の実験と同様，標準刺激に対してそれぞれの選択刺激の形状類似度を1（非常に似ていない低い）から7（非常に高い）の尺度で評定してもらった。ここでのポイントは標準刺激に対しTax-Sim と Shape 刺激が類似性が高く，Tax-Dissim とThematic 刺激はともに類似性が低いことである。評定の結果この条件は，9セットすべてで満たされていることがわかった。ただし，Tax-Sim と Shape 刺激では，Shape のほうが若干評定値が高く，この差は統計的に有意であった。したがって，子どもが全く非知覚次元の共通性を考慮せず，形状類似性のみに頼るとしたら，このわずかではあるが統計的に有意な違いを反映して，Shape 選択の割合が Tax-Sim 選択の割合よりも高くなる可能性が考えられる。

さらに，知覚属性と非知覚属性の両方を考慮して，全体的な類似性を測ったときに標準刺激にもっとも類似度が高いのが Tax-Sim 刺激であることを確認するため，別のグループの被験者で，「全体的な類似性」についての評定を行った。この場合は，1～7の尺度上での評定ではなく，4つの選択刺激の中から標準刺激にもっとも似ているものを選ぶように教示された。この実験では大学生の被験者は Tax-Sim 刺激を多くの場合（チャンスレベル25％に対して約58.2％）選択した。他の刺激は Shape が 13.8％，Thematic が 18％，Tax-Dissim が 10％の割合で選択された。

第6章　ラベルの学習とカテゴリーの属性の理解

未知のことばに意味を付与し，ことばの外延カテゴリーを自発的に形成することと，カテゴリーの属性を理解することは，非常に深く結びついていることは既に述べてきた。前章では，子どもが属性を学ぶひとつの方法として，類似した事物に同じラベルを与えることによって，事物間の属性の整合的比較（アラインメント）が促され，知覚属性だけでなく，非知覚属性における共通性を抽出しようとすることをみてきた。しかし，属性の学習には別の重要なルートがある。ある事物が持つ属性が，その事物だけでなく，事物が属するカテゴリーのメンバーすべてに共有される属性であるという帰納的推論を行い，それに基づいて，その属性をその事物以外のカテゴリーメンバーに投影するプロセスである。このプロセスによって，事物と属性の関係を学んでいくのである。本章ではカテゴリーのラベルを学習するプロセスと，属性を他のカテゴリーメンバーに帰納的に投影するプロセスが互いにどのような関係にあるのかを考えていく。

6.1　ことばの外延と内包の学習

外延と内包

第1章でも述べたように，ことばの意味やカテゴリーを学習するうえでは，外延と内包の2つの側面を考えなければならない。外延に関する知識と内包に関する知識はもちろん独立ではない。カテゴリーのメンバー（外延）を学習することによって，メンバーの間に共有される属性を見出し，それによって概念，つまり内包に関する知識が学習される。逆に，その内包に関する知識に基づいてカテゴリー（外延）が形成されるのである。しかし，第1章で述べたように，ことばの学習には大きなパラドックスがある。外延が内包によって決定され，内包が外延から帰納されるとしたら，いったいどのようにして学習が始まるのだろうか？　言い換えれば，学習はどうやって始まるのだろうか？

第2章で述べたように，最近の発達認知心理学者の間では，子どもは発達の当初から生得的に概念的枠組みを持っており，それによって存在論的カテゴリー区分が学習なしにでき，それがことばの学習を可能にしているという考えが注目されている（たとえばCarey, 1994; Keil, 1994; S. Gelman, 1988）。しかしながら，たとえ子どもが「動物—非生物」，「物体—物質」などの存在論的区分を生得的に知っていたとしても，子どもが初めて「コップ」ということばを習うとき，そのような知識だけでは「コップ」が他のコップに正しく適用され，コップ以外の人工物の個物，たとえばハサミには適用されない，ということは保証されないわけである。そこで未知のことばに意味を付与する際の，いわば言語領域に特有の「制約」として，形状類似バイアス，事物カテゴリーバイアス，相互排他性バイアスなどが必要とされるということは既に述べてきたとおりである。

6.2 事物カテゴリーバイアスと属性の帰納的投影

カテゴリーに内在する属性と属性間の因果関係を学習するうえでも同様なことが当てはまる。生得的な存在論的概念理解のみでは，それぞれの存在論的クラスの下にある，より一般的な事物カテゴリーに特有な属性の学習はできないのである。第3章で述べたように，事物カテゴリー制約は，ことばの外延決定の原則となるとともに，内包の学習を助ける，というのが骨子である（S. Gelman, 1988; S. Gelman & Coley, 1990; S. Gelman & Markman, 1986, 1987）。子どもはカテゴリーの属性，特に目に見えない事物の内部に関する属性を学ぶのに，カテゴリーメンバーのひとつひとつについて教わるのを待っているわけではない。ひとつの事物について属性を学ぶと，それをカテゴリーの属性として帰納し，他のメンバーに投影する。たとえば，「ヘビは血が冷たい（変温性の動物）」と大人から聞いたとする。そしてトカゲはヘビと同じカテゴリーに属することを知るとしよう。すると，その属性をカテゴリーの属性として帰納し，カテゴリーメンバーであるトカゲに属性を投影して[1]，ヘビと同様に血が冷たいと推論する，とゲルマンやマークマンは主張するのである。さらに，子どもは事物カテゴリーバイアスにより，ラベルはカテゴリーの名前であると想定するので，ある事物が別の事物と同じラベルがつけられると，その2つの事物は同じカテゴリーに属するものだと推論する。したがって，たとえ2つの事物が外見は似ていなくても同じラベルが適用されることを知ると，属性を投影する，というのがゲルマンやマークマンの主張である。

帰納すべき属性とすべきでない属性の区別

しかし，ここで問題になることが2つある。ひとつは事例の持つ属性には他の事物に投影した場合，意味があるものとないものがある，という点である。たとえば，A子ちゃんという女の子が「大きくなって子どもを生む時に，赤ちゃんがおなかの中で育つための袋（子宮）がA子ちゃんの体の中にある」と教えられたとき，その属性を他の女の子に投影するのは意味があるが，「A子ちゃんは髪が長い」とか「A子ちゃんにはおじさんが二人いる」という属性は他の女の子に投影しても意味がない（S. Gelman, Collman & Maccoby, 1986）。

ゲルマン（S. Gelman, 1988）は，子どもが人工物と自然物の存在論的カテゴリーでそれぞれ投影する属性を区別しているかどうかを，幼稚園児と小学二年生に対して発達的に調べた。一般的に自然物のカテゴリーでは内部構造に関する属性が，カテゴリーメンバーに投影されるべき重要な特性である。それに対して，人工物では機能的属性がカテゴリーメンバーに投影されるべき特性である。また，時間や場所が変わると変わってしまう属性や，特定の個体に限られる属性（Xは寒い，Xは汚れている，など）は人工物でも，自然物でも，投影されるべきでない。

ゲルマン（S. Gelman, 1988）の実験では，小学二年生は，人工物カテゴリーに対しては機能的属性を投影し，自然物のカテゴリーでは内的属性を投影する，というようにカテゴリーの種類によって投影する属性の性質を区別した。それに対し，幼稚園児はそれぞれの存在論的カテゴリーにとって理に適った属性投影ができず，属性を他の事物に投影するかどうかはほとんど事物同士の類似性にのみ頼っていた[2]。つまり，理に適った帰納的推論ができるようになるためには，かなり精緻な領域知識が必要とされ，領域知識が希薄な発達の初期には，属性の性質，カテゴリーの種類などを考慮せず，前提となる事物との類似性のみに基づいて属性を投影することが示されたわけである。

ラベルに基づいて属性を投影する場合の第二の問題点は，ある事物の属性が，ラベルを共有する他の事物に無制限に適用できるわけではない，という点にある。たとえば，ウサギに内在する「血が温かい（温血）」という属性は「哺乳類」というカテゴリーに属する他のメンバーには当てはまる。しかし，「動物」という，階層構造のより上位のレベルで考えると，この属性が当てはまらない事例も数多くある（たとえば魚類，爬虫類など）。したがって，子どもはある事例についてある属性が内在すると知ったとき，それを他の事物に投影するためには，その属性が階層構造のどのレベルのカテゴリーで共有される属性なのかについて，まず判断しなければならないのである。

類似性・網羅範囲モデル

では，人はどのような基準でこの判断を行うのであろうか。これについてオッシャーソン達（Osherson, Smith, Wilkie, López & Shafir, 1990）は類似性・網羅範囲モデル（similarity-coverage model）を提案し，大人がどのように帰納的推論を行うかを非常に詳細に説明している。このモデルは複雑なのでここでは主要な部分だけを簡単に紹介する。

ある事物（たとえば事物A）について真である属性Xが，他の事物にとっても真であるかどうかを判断する際に重要なファクターは，まず，前提中の事物と結論中の事物の間の類似性である。この場合の類似性とは，階層構造のどのレベルのカテゴリーで，前提中の事物と結論中の事物が同じメンバーになるかである。たとえば，スズメバチとミツバチは同じ「ハチ」の仲間であるから，当然非常に類似している。スズメバチとハエはスズメバチとミツバチの関係よりも類似性は低いが，スズメバチとオランウータンの関係よりは類似性が高い。そこで，人はスズメバチにとって真である属性Xが他の事物にとっても真である確率は，ミツバチでは非常に高く，ハエ，オランウータン，自動車とカテゴリーの距離が離れていくにつれ，減少すると考える。

もうひとつのファクターは，前提となる複数の事物の属するカテゴリーがどれだけ広い範囲をカバーするかである。たとえば，属性Xがゴリラにとって真であるかどうかを推論する場合，人は前提が「Xがキツネ，ブタ，オオカミにとって真である」というほうが，「Xがキツネに真である」という場合より，推論が正しい可能性が強いと考える。これは，一般的に前提中の事物が多いほうが網羅範囲が広くなるためである。

また，人は前提において，属性Xが真であるとされる複数の事物が互いに類似性が低く，多岐にわたるほうが，その属性Xはより普遍的な属性であると考え，他の事物にとっても真であると考えやすい。たとえば人は，「属性Xはスズメバチとウサギの両方に真である」という前提を与えられたときのほうが，「属性Xはスズメバチとハエの両方に真である」

という前提を与えられた場合よりもXの普遍性が高いと考え,「属性Xはコマドリにとって真である」という結論が真であると考えやすい。

類似性・網羅範囲モデルの発達

ロペス達(López, S. Gelman, Gutheil & Smith, 1992)は,上記のオッシャーソン達の類似性・網羅範囲モデルが発達的にどの側面から理解,獲得されていくのかを調べるため,幼稚園児と小学二年生,大人を対象に実験を行った。その結果,幼稚園児が一貫して使ったのは類似性の基準のみで,網羅性に関する基準は属性推論に使うことができないことがわかった。しかし,小学二年生になると,大人ほどシステマティックではないにしろ,類似性と網羅性の両方を使えることが報告されている。

ゲルマン(S. Gelman, 1988)の研究は,どのようなカテゴリーの場合にはどのような属性が他のメンバーに投影されるべきかという問題を扱ったものであり,ロペス達の研究は未知の属性を他のカテゴリーメンバーに投影する場合,どのような前提の場合にどの程度強い結論が導き出せるか(属性を結論になるカテゴリーに投影した場合に,それが正しい確率はどれくらいか)を判断する問題を扱ったものである。どちらの研究でも幼稚園児が一貫して判断の基準に使ったのは類似性であり,他の基準は用いることができなかったことが示されている。

属性の投影とことばの学習における原則

第4,5章で子どもの持つ未知のことばへの意味付与の原理について論じた際に，事物カテゴリーバイアスと形状類似バイアスを対比した。この2つのバイアスは「類似した事物のカテゴリー（category of like kinds）」を指し示すものだ，という点では一致している。しかし両者は「類似した事物」の解釈が異なり，事物カテゴリー制約の場合には「類似性」は分類学上のカテゴリー的類似性を意味し，形状類似バイアスの場合には事物の形という知覚レベルの類似性を意味している，と述べた。この問題，すなわち子どもにとっての類似性の基準は何か，という問題は属性の投影の問題を考える場合にも重要である。

上記のゲルマンの研究（S. Gelman, 1988），ロペス達の研究（López et al., 1992）では，子どもがもっとも高い割合で属性を投影した項目は，カテゴリー的にも知覚的にも前提中の事物にもっとも類似している項目であり，その点で前章のブートストラッピング実験における Tax-Sim 刺激に相当するものである。しかし，ゲルマンの他の研究の多くは第4章で紹介した今井達の実験と同様に，知覚類似性とカテゴリー的類似性を対立させている（Davidson & S. Gelman, 1990; S. Gelman & Coley, 1990; S. Gelman et al., 1986; S. Gelman & Markman, 1986, 1987; S. Gelman & O'Reilly, 1988）。ラベルの外延カテゴリー形成に関しては，今井達の研究や他の研究（Baldwin 1992; Golinkoff et al., 1995）で幼児は一様に，カテゴリーの類似性よりも，形状類似に基づいてラベルを拡張することが報告されている。これに対しゲルマン達の属性の帰納推論のパラダイムでは，同じ年齢グループの子ども，あるいはもっと年少の2歳児（S. Gelman & Coley, 1990）でも，属性を知覚類似性ではなくラベルに投影するケースが報告されている。

2つの実験パラダイムの異なる結果はどのように解釈するべきなのであろうか？　単純に考えれば，結果の相違は異なる実験手続きを反映しているだけであるのかもしれない。たとえば，ゲルマン達の一連の実験がほとんど2つの選択肢の中からの選択なのに比べ，今井達の実験は選択肢が3つあり，課題の負荷が高かったのかもしれないし，ゲルマン達の用いたカテゴリー領域が今井達の用いたものより，子どもにとってなじみのあるものだったためかもしれない。

しかし，もうひとつの解釈として，属性の帰納的推論とことばの指示対象の推論では，「類似性」の基準が異なるという可能性が考えられる。子どもは未知のラベルの指示対象を決定し，外延カテゴリーを形成する際には，領域知識が希薄でも一貫して適用できる基準として形状類似性に強く頼る。一方，ある属性を他の事物に投影するべきかどうかの決定に際しては，形状類似ヒューリスティックスよりも，むしろ「カテゴリー＝大人（エキスパート）によって同じラベルをつけられた事物の集まり」というヒューリスティックスに頼るのかもしれないのである。

6.3　ラベル拡張と属性推論の比較実験

今井はこの可能性を検討するため，第4章，第5章の実験で用いたような上位レベルのカテゴリーをターゲットカテゴリーにして，知覚類似性とカテゴリー関係を対立させ，未知のラベルの意味付与と未知の属性の帰納的投影の2つの文脈で，どの程度子どもが知覚類似性に頼るかを比較した（Imai, 1996)。最初の実験（実験1）では，子どもがカテゴリーメンバーシップについての既存の知識を基にラベルの拡張と属性の投影推論をする際に，2つの課題の間で子どもの反応パターンが異なるかどうかを調べた。続く実験（実験2）では，ラベル拡張と属性推論の課題を行う際に，カテゴリーメンバーの間で共有される属性についての情報とカテゴリーメンバーに共通のラベルについての情報をそれぞれ与え，ラベル拡張と属性推論の間で，実験者によって与えられる情報に子どもが異なった重みづけをするかどうかを調べた。

実験材料

2つの実験の手続きをまとめて説明しよう。被験者は実験1，2とも日本人幼稚園児30人（平均年齢5歳3ヶ月）ずつである。どちらの実験も，被験者は属性投影群とラベル拡張群にランダムに振り分けられた。実験材料は表6.1に示す13の刺激セットからなり，それぞれのセットはひとつのターゲット刺激と2つの選択刺激で構成されている。今井やゲルマン達の先行研究同様，刺激は知覚類似性とカテゴリー類似性が対立するようにデザインされている（図6.1参照）。

表6.1の刺激セットのリストは3つのタイプに分かれている。刺激セット1から5まではターゲット，2つの選択肢とも皆「動物」という上位概念に属するが，カテゴリー刺激の方が形状刺激よりカテゴリー的に近い関係にあるようになっている。たとえば，コアラはカンガルーとは「有袋類」というカテゴリーで一緒になるし，ウサギはそれよりも上位の「哺乳類」でターゲットと同じカテゴリーになるので，ターゲットのカンガルーにとってはコアラの方がウサギよりもカテゴリー的には近いわけである。しかし，知覚的には，カン

表 6.1　ラベル拡張と属性推論の比較実験材料

ターゲット		カテゴリー刺激	形状刺激
1)　クジラ	タイプI	サル (温かい血が流れている)	サメ (冷たい血が流れている)
2)　ツグミ	タイプI	ペンギン (遠くまでよく目が見える)	コウモリ (すごく小さな音が聞こえる)
3)　チワワ	タイプI	オオカミ (嗅覚が鋭い)	ネコ (暗いところが見える)
4)　ヘビ	タイプI	カメ (肺で呼吸する)	ウナギ (えら呼吸する)
5)　カンガルー	タイプI	コアラ (赤ちゃんはいっぺんに一匹だけ生まれる)	ウサギ (赤ちゃんはいっぺんにたくさん生まれる)
6)　ネックレス	タイプII	イアリング (アロイというものでできている)	縄飛び (ポリエステルコードが中にある)
7)　太鼓	タイプII	フルート (共振する)	バケツ (ポリマーでできている)
8)　杖	タイプII	歩行補助用押車 (中が空洞)	傘 (シャフツがある)
9)　皿	タイプII	キャセロール鍋 (パイレックスでできている)	CD (アルミニウムでできている)
10)　花	タイプIII	木 (太陽の光が成長に必要)	車輪 (パーティクルが内にある)
11)　人参	タイプIII	ポテト (セルロースが中にある)	ロケット (小さい分子がある)
12)　りんご	タイプIII	バナナ (ポタシウムがある)	風船 (ヘリウムが中にある)
13)　レモン	タイプIII	パイナップル (頑健な表皮)	フットボール (弾力性のある表皮)

ガルーに対し，ウサギの方が知覚的類似性が高くなるように刺激の絵が描かれている。刺激セット6～9は3つの刺激がすべて人工物というカテゴリーに属すが，刺激セット1～5と同様に，その中で，ターゲットとカテゴリー刺激は形状刺激よりもカテゴリー的には近い関係にある。3番目のタイプ（セット10～13）はターゲット，カテゴリー刺激が植物（果物，野菜を含む）なのに対し，形状刺激は人工物で，2つの

カテゴリー刺激

ラベル群：これはワップ
属性推論群：これには温かい血が流れている

形状刺激

ラベル群：これはフェップ
属性推論群：これには冷たい血が流れている

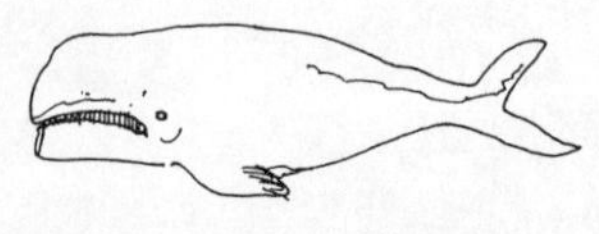

ターゲット

ラベル群：ワップ、それともフェップ？
属性推論群：温かい血、それとも冷たい血？

図 6.1　ラベルの拡張と属性推論の比較実験刺激例

カテゴリー間の距離が非常に大きいものになっている。

手続き

実験1の手続きを先に説明しよう。今回も恐竜の人形ジョジョが活躍した。ラベル拡張群では，実験者は2つの選択刺激を見せ，それぞれにラベルづけをする。たとえば，セット1ではサルの絵を指さして，「これはね，ジョジョちゃんの恐竜語ではワップというの。そしてね，こっちは（サメの絵を指さして）フェップというの。ではね，これ（ターゲットのクジラを見せながら）は，これと同じワップだと思う，それともフェップだと思う？」と尋ねる。属性推論群では，「これはね（サルの絵を指さしながら），体の中に温かい血が流れているの。そしてね，こっち（サメの絵を指さしながら）は体の中に冷たい血が流れているの。では，これ（クジラ）はこれ（サル）のように温かい血が流れていると思う？　それともこれ（サメ）のように冷たい血が流れていると思う？」と尋ねる。実験で用いられた属性は，どのセットのタイプについても刺激の絵からは判断のつかない，事物の内部に関するものである。また，この実験では，属性が子どもにとって未知であることが大事で，未知である限りでは，本来それが正しい属性かそうでないかは問題でないので，時には「アロイでできている」「パーティクルがある」など，実際には真でない，無意味な属性も用いられた。

実験２のデザインは実験１と基本的に同じであるが，教示の際に実験者がターゲットとカテゴリー刺激の間で同じラベルが共有されること（属性を尋ねる場合），あるいは同じ属性が共有されること（ラベルを尋ねる場合）を教え，その上でターゲットの属性，またはラベルを尋ねた。具体的には，２つの選択刺激のそれぞれについて，実験者はラベル拡張群，属性推論群ともに，属性とラベルの両方の情報を与える。たとえばセット１では，「これを見て。これはね（サルを指さしながら），ジョジョちゃんの恐竜語ではワップというの。このワップはね，体の中に温かい血が流れているの。これはね，（サメを指さしながら）フェップというの。このフェップにはね，冷たい血が流れているの」というように教示する。次にターゲットを導入する際，ラベル拡張群では，「これ（クジラ）はね，これ（サル）と同じようにワップというの。では，これ（クジラ）はこのワップ（サル）と同じように温かい血が流れていると思う，それともこのフェップ（サメ）と同じように冷たい血が流れていると思う？」と尋ねる。属性推論群では逆に，「これ（クジラ）はね，このワップ（サル）と同じように温かい血が流れているの。ではこれの名前はこれ（サル）と同じワップだと思う，それともこれ（サメ）と同じフェップだと思う？」と尋ねるわけである。

既存のカテゴリーメンバーシップを用いる時の2つの課題での反応パターン

図6.2（a）からわかるように子ども達の反応は2つの群で大きく異なり，ラベルの外延決定と属性推論で子どもが異なる基準を用いているのではないかという仮説は支持された。ラベル拡張をする場合には，子どもは，第4，5章の今井達（Imai et al., 1994; Imai, 1994）の研究と同様，形状類似性への強い依存性を示し，カテゴリー刺激の選択は26％にすぎなかった。それに対し，属性投影群では形状刺激選択の割合がラベル拡張群よりもずっと減少し，形状対カテゴリーの選択の割合はほぼ半々であった。この結果は，属性推論の場合，幼稚園児はカテゴリーのラベルが明示されなくても，既存のカテゴリーメンバーシップの知識により，属性をある程度はカテゴリーメンバーに投影することができ，強い知覚類似性に対するバイアスを示さなかったというゲルマンとマークマンの実験結果と非常に類似している（S. Gelman & Markman, 1987）。

属性の共有，ラベルの共有の情報を子どもは同等に扱うか？

次に実験2の結果をみてみよう（図6.2（b））。全体的に子

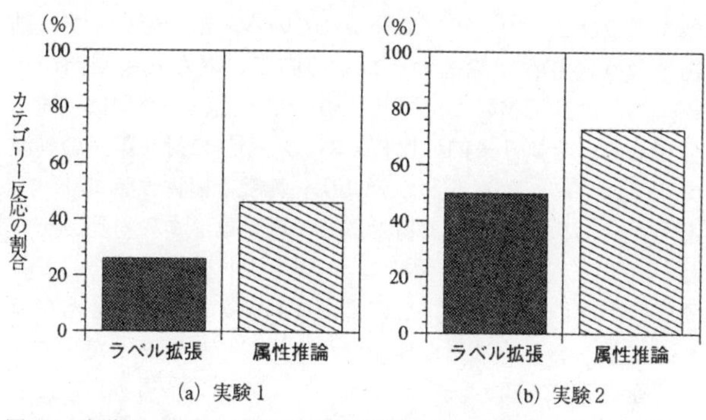

図6.2　実験1，2におけるラベル拡張群と属性推論群でのカテゴリー反応の割合

ども達のカテゴリー反応の割合は，実験1に比べて上昇し，5歳児が，実験者から与えられたラベルあるいは属性の情報を属性推論およびラベルの拡張に使うことができたことを示している。しかし，もっと興味深いことに，実験1でみられたラベルの拡張と属性推論の間の形状類似性へ依存する度合いの違いは，この実験ではさらに顕著にみられ，属性推論群の子どもは高い割合でカテゴリー刺激を選択した（72.8%）。それに比べラベル拡張群の子どもは，実験1で属性情報が与えられない場合に比べて形状類似性に頼る割合は減少したが，それでもカテゴリー反応の割合と形状反応の割合はほぼ同じであった（50.7%）。

対比カテゴリーの距離とカテゴリータイプ

実験の手続きのところで述べたように，この章の2つの実験の刺激は3つのタイプに分かれている。第一のタイプは動物という同じ存在論的カテゴリー内での異なる階層間の比較，第二は人工物のカテゴリーの中での比較で，やはり同じ存在論的カテゴリー内の比較である。それに対し第三の刺激タイプは，ターゲットとカテゴリー刺激は植物カテゴリーであるが，形状刺激は人工物で，この場合は2つの対比カテゴリーが存在論的に別のカテゴリーに属するものとなっている。この2つの実験で，このような刺激タイプが子どものラベル拡張，あるいは属性推論のパターンに影響をもたらすかどうかをみてみよう。

何度も述べたように，発達の非常に早い時期から子どもは動物と人工物，個物（objects）と物質（substances）などの，存在論木（ontological tree）の上位レベルでの区分は理解していることが多くの研究によって示されている。しかし，同じ存在論的カテゴリーの中でのもっと階層の下位にあるカテゴリー間で，どの属性が当該レベルの異なるカテゴリーを区別する属性で，どの属性が当該レベルではカテゴリー間で共有されるか（たとえば，どの属性が脊椎動物に皆共通で，どの属性が哺乳類の動物のみに共通であるか）などの知識が獲得されるのはかなり遅く，領域固有の知識の精緻化を待たなければならない。

このことから考えると，もっともやさしいタイプ，つまりカテゴリー反応がもっとも高くなりやすいのは，対比される2つのカテゴリーの距離がもっとも大きく，別の存在論的カテゴリーに属する刺激タイプ3ではないかと考えられる。タイプ1，2は同じ存在論的カテゴリー内の比較なのでタイプ3より難しいと思われる。2つのタイプのうち，とりわけ難

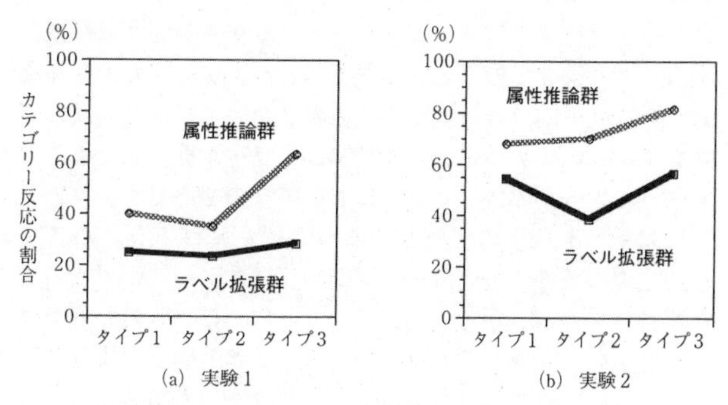

図6.3 コンディションと刺激タイプの交互作用

しいのはカテゴリーの対比が動物カテゴリーの中でなされるタイプ1であると思われる。このタイプでターゲットとなるカテゴリーには有袋類，爬虫類なども含まれ，このタイプに属する5つの刺激セットでカテゴリー刺激が形状刺激よりもターゲットとカテゴリー的に近いことがわかるには，かなり詳細な動物分類についての領域知識が要求されると思われる。

図6.3 (a)，(b) は実験1，2でのラベル拡張群，属性推論群それぞれでの，3つの刺激タイプにおけるカテゴリー反応の割合を示している。まず，実験1の方からみてみよう。グラフからすぐわかることは，ラベル拡張群と属性推論群で，3つの刺激タイプでの反応パターンが異なること，また，そのためこの2群の差が刺激タイプの間で一様でないことである。ラベル拡張群では刺激タイプ1（動物内），2（人工物内），3（植物—人工物）でほとんど差がなく，平らな線になっている。それに比べ属性推論群では，ターゲットカテ

ゴリーと対比されるカテゴリーが異なる存在論的クラスに属する，タイプ3でのカテゴリー反応の割合が，同一の存在論的カテゴリー内での対比である他の2つのタイプでの反応よりもずっと高い。つまり属性推論群とラベル拡張群での差が際立って大きいのはタイプ3においてなのである[3]。

次に図6.3（b）の実験2でのパターンに移ろう。ここでも，2つの条件群で刺激タイプ間の反応パターンが異なることがグラフからわかる。興味深いことに，ラベル拡張群ではタイプ2の人工物カテゴリー内での対比が他の2つよりカテゴリー反応が低くなっており，反応パターンが自然物カテゴリーと人工物カテゴリーで異なっていることを示唆している。属性推論群ではどのタイプでもカテゴリー反応が高くなっているが，タイプ3における成績（カテゴリー反応の割合）が他の2タイプに比べて若干高くなっている[4]。

2つの実験の結果の考察——形状類似バイアスはラベルの拡張と属性推論で異なるか？

2つの実験の結果から示唆されることをまとめてみよう。まず，実験1で，カテゴリーメンバーシップに基づいてラベルの拡張を要求された場合，幼稚園児は3つのターゲットカテゴリーと対比カテゴリーが存在論的カテゴリーの境界を越える越えないにかかわらず，一様に形状類似に基づいた反応をすることが示された。このことから，未知のことばの意味付与の原則として幼児が持つ形状類似バイアスは，非常に根強いものであることがわかる。それに比べ，属性推論群ではターゲットカテゴリーと対比カテゴリーが同一存在論的カテゴリーに属するか，別の存在論的カテゴリーに属するかで，子どもの反応が異なった。前者の場合，どちらの選択肢がターゲットにカテゴリー的により近いかの判断に領域知識を必要とする。この場合は子どもは形状類似性に頼って属性を投影した。しかし，2つのカテゴリーが異なる存在論的カテゴリーに属する場合には，形状類似性よりも，既存のカテゴリーメンバーシップの知識を使って属性を投影した帰納的推論ができることを，この実験の結果は示したのである。

実験2でも，やはりラベル拡張群は属性推論群と比べて全体的にカテゴリー反応が低く，属性投影に関する知識とラベル拡張に関する知識を子どもが使い分けていることを示唆している。ラベルを拡張する際には，2つの事物が同じ属性を持つと教えられただけでは不十分なのに対し，属性推論の場合には2つの事物が同じラベルを持つと教えられると，知覚類似性が低くても同じ属性を共有すると考えるのである。

ラベル拡張と属性推論とカテゴリータイプの相互作用

実験2の結果でもうひとつ興味深いのは2つの実験条件と刺激タイプの相互関係である。まず，ラベル拡張群をみてみると，実験1での子どものカテゴリー反応の割合をベースラインとすると，実験2でのそれは全般的にはほぼ20%の増加で，子どもはベースラインでの形状類似バイアスを緩和し，属性情報をある程度は考慮してラベルの拡張をしていたことがわかる。しかし，刺激タイプ別にみると，ベースラインからの増加がみられるのはタイプ1とタイプ3，つまりターゲットカテゴリーが動物と植物の場合で，タイプ2の人工物ではあまり増加がみられない。この実験では，すべての刺激タイプについて，事物の内部構造に関する属性情報が与えられた。これらの属性は，ゲルマン（S. Gelman, 1988）の区別に則れば「自然物に般化すべき」属性である。ターゲットカテゴリーが自然物の場合には，子ども達はこのような属性をラベルの拡張の際にある程度考慮したが，人工物の場合はほとんど考慮しなかった。この結果は，ゲルマンの結論と異なり，5歳児でも属性の性質とカテゴリーの種類（人工物対自然物）の関係をある程度理解し，カテゴリーの外延決定の際にそれを考慮に入れることができるのではないかという可能性を示唆するものである。

一方，属性推論の場合には，ラベルによるカテゴリー反応の増加は刺激タイプによらず大きかった。実験2ではタイプ3はタイプ1，2よりもカテゴリー反応が高いが，実験1でのベースラインも高いので，ラベル情報による増加という点では他の2タイプよりむしろ少ない。

5歳児がなぜ，ラベル拡張の際には属性の性質とカテゴリーの種類の相互作用を考慮し，属性推論の場合には，それをせずにどのカテゴリータイプでもラベル情報に基づいて属性の投影をしたのかはわからない。これが単にこの実験の刺激に特異な結果だったのか，それとも一般性のある違いなのかを今後検討する必要がある。

6.4 ラベル拡張の際に子どもが属性推論より形状類似性に依存するのはなぜか？

子どもの概念発達においてカテゴリーの形成とカテゴリーの属性理解は大事な両側面である。そして，この両側面は相補関係にあり，互いに影響しあって発達していくものである。子どもは似ている事物同士に積極的に同じラベルを付与し，カテゴリーを形成していく。カテゴリーを形成していく中で，子どもはカテゴリーメンバー間に共有される属性に注目し，それらの属性を整合的に関係づけていき，どの属性がカテゴリーにとって本質的なものかを学んでいく。一方，どの属性がカテゴリーにとって重要な属性であるかについての知識が，カテゴリーメンバーの再構成をする。いままでカテゴリーメンバーであると思っていた事物をその属性に照らして排除し，逆にカテゴリーメンバーでないと思っていた事物をカテゴリーの中に組み入れるのである。さらに，新たな基準で作られたカテゴリーメンバー間の属性の共通性の観察から，そのカテゴリーについての既存の表象が修正，再組織化され，カテゴリーについての因果関係のメカニズムの理解が深まっていくのではないだろうか。

しかし，この章の2つの実験は未知のラベルに意味を付与し，ラベルの外延カテゴリーを形成していくプロセスと，ある事物について学んだ属性を他の事物に帰納的に投影するプロセスが全く同質なわけではなく，形状類似バイアスは後者の場合より前者の場合に強いことを示した。この理由を説明するのは難しい。あえて考えるなら，ラベル拡張の際と属性推論における形状類似性と属性の相対的な予測可能性（predictability）の違いのためかもしれない。先に述べたように，カテゴリーメンバーシップと形状類似性の相関はかなり高く，属性に関する知識が希薄なときには，カテゴリーメンバーを決める際，形状類似性に頼ることは理に適ったストラテジー（方略）といえる。他方，事物Aに属性Xが内在すると知っていたとして，それを形状が類似した事物Bにすぐに投影することはそれほど理に適ったストラテジーではない。その属性が当該カテゴリーで本質的であるかないか，階層のより上位にあるカテゴリーから継承されたものかあるいは当該カテゴリーにユニークなものか，などの知識なしでは，属性Xをカテゴリーメンバーに投影すべきか否か，投影するとしたら階層構造のどのレベルで投影するべきかがわからない。そのため，属性の帰納的推論においては，形状類似性はラベル拡張のときほど予測可能性を持たない。

この考えが正しいとしたら，子どもは2つのプロセスにおける形状類似性の予測可能性の違いを，幼児期までに学んでいることになる。この仮説の検討と，もし仮説が正しければどのようなメカニズムで学ぶのか，という問題は今後考えなければならない重要な問題である。

注

(1) 特にラベルづけと属性の投影というパラダイムではなくて内的，外的属性を子どもがどのような基準で投影させているか，という研究も数多くあるが，代表的なものにケアリーの研究（Carey, 1985）や稲垣と波多野の研究（Inagaki & Hatano, 1987）がある。稲垣（1995）がこの分野での研究の総括，展望をまとめているので参照されたい。

(2) しかし，注目すべきことに，幼稚園児でも，少なくとも，「Xはうれしい」などという属性は他のカテゴリーメンバーにも般化しなかった。このことから，すくなくとも，般化されるべき恒常的性質の属性と，般化されるべきでない，一時的な属性の区別は幼児でもできていることが示されている

（Keil〈1981〉も参照のこと）。

(3) 統計的にもこの傾向は確認された。タイプ１，２を平均したものとタイプ３とのコントラストの効果は主効果，条件群との交互作用ともに有意で，刺激タイプ３は他の２つのタイプより主効果としてカテゴリー反応が高かったが，それはおもに属性推論群での差に由来するものであることがわかった。また，タイプ１とタイプ２の間の差はなく，条件との交互作用もなかった。

この分析は，３（刺激タイプ）×２（条件）の古典的な分散分析をさらに自由度１の直交対比（orthogonal contrast）に分解して行ったものである。コントラストはタイプ３がタイプ１，２より容易であろうという仮説に基づき，タイプ１，２の平均をタイプ３と対比させた。自由度のもうひとつではタイプ１と２の間を対比させた。従来の３×２の分析だと，刺激タイプの主効果が現われても，自由度が２なので，効果がどの水準から現われているのかまではわからないが，この分析では事前に立てた仮説によって刺激間の３水準の間の関係と条件との交互作用が詳細なレベルでわかる（Winer, Brown & Michels, 1991）。

(4) ここでも実験１のときと同様それぞれのタイプ別の条件の効果を調べるため自由度１に分散を分割した分散分析を行った。タイプ１，２の平均とタイプ３との対比では主効果のみが有意であり，実験条件に関係なくタイプ３が他よりもやさしい（カテゴリー反応が出やすい）ことがわかる。実験１の場合と異なるのはタイプ１とタイプ２の対比で，これは条件との交互作用のみが有意で，ラベル拡張群においてのみタイプ１（動物カテゴリー内の対比）とタイプ２（人工物カテゴリー内での対比）の間で差があったことが示された。

第7章　形状類似バイアスと事物全体・カテゴリーバイアスの生得性と文化普遍性

この章ではことばの学習における制約，特に事物全体・カテゴリーバイアスあるいは形状類似バイアスが，どのようなメカニズムから生まれるのかを考えてみよう。一般的に認知発達の領域で「制約」という場合，それは「生得的であり，したがって文化普遍的であり，発達の当初から適用されるものであり，言語的インプットの影響によらないもの」と考える研究者が多い。この章では，子どもがことばを話し始めたばかりの時期の発話パターンと，異なる言語を母国語とする子どもの語彙発達パターンの比較研究という2つの観点から，制約の生得性と文化普遍性の問題を考える。本章で「形状類似バイアスあるいは事物全体・カテゴリーバイアス」という表現を用いるのは，子どもが2歳以前に学習することばの多くは基礎レベルのカテゴリーを指す名詞で，このレベルでは形状類似バイアスとカテゴリーバイアスを区別することが難しいからである。

7.1　形状類似バイアス／事物全体・カテゴリーバイアスは発話の当初から適用されるか？

制約が生得的かどうかを考える場合，多くの研究者はその問題を「ことばの学習において，子どもが生まれて最初に覚えることばから制約が適用されているかどうか」という問題と同じものとして扱ってきた。そこで，まず形状類似バイアスあるいは事物全体・カテゴリーバイアスが学習の当初から適用されているかについて考えるために，子どもの初期のことばの産出パターンの報告をみていこう。

形状類似バイアス／事物全体・カテゴリーバイアスと一致する産出パターン

ことばの学習に制約が必要であるという考えが注目される一方，それに反対する研究者も多い。たとえば，ネルソン (Nelson, 1988) は，ことばの学習に制約が必要であるという考えに対し，非常に懐疑的な立場を取っている。彼女は，その根拠として，子どもが初めてのことばを発話し始めてから数ヶ月間は事物全体・カテゴリーバイアスに基づく適用をしない場合がよくみられる，というデータをあげている。ネルソンは，自然発話の中で事物全体・カテゴリーバイアスと一致するパターンを示し始めるのは，子どもがある程度の数のことば (30語前後) を既に獲得した後である，と主張する。

ここで問題になるデータは，本書でいままでに紹介してきたような実験的アプローチで得られたデータではなく，子どもの自然発話を観察者が記録していったダイアリーデータ (diary data) である。この種のデータで事物全体・カテゴリーバイアスと一致するパターンとは，次の2点を満たしている場合であると考えられる。

(1) 子どもの初期の語彙のほとんどが名詞であること。ただしこれは大人の基準での「名詞」に限らず，ことばが事物を指示するものであり，事物の属性や状態，活動などを指示するものではない，という意味である。「ワンワン」という発話がイヌ，あるいは類似の動物を指示したものであればこれに当てはまるが，「イヌが吠える行為」を指示した場合には当てはまらない。

(2) 子どもは新しく覚えたことばを特定の状況や対象に限定せず，他の類似の事物に自発的に適用すること。

最初の点は事物全体バイアス，２番目の点は事物カテゴリーバイアスに関するものである。

ことばの適用制限

子どもの初期のことばの誤用で注目すべきもののひとつは，ことばの適用制限（under-extension）である（Clark, 1993; Dromi, 1987）。これは，発話数は多くなく，期間も短くてあまり目立たないが，複数のダイアリーデータで一貫してみられることばの誤用パターンで，文字どおり，ことばの発話を特定の状況に結びつけ，適用を過度に制限するものである。たとえば，自分の家の居間から見ているときだけ，通りを走る車を見て“car”というが，その他の場所では何も言わない（Barrett, Harris & Chasin, 1991; L. Bloom, 1973）とか，fafa（flower）ということばを，花の絵に制限し，本当の花には適用しない（Lewis, 1959: Dromi〈1987〉からの引用）というような例が多数報告されている。この現象から示唆されることは，ことばの学習の当初は，ことばの意味は状況に埋め込まれて，必ずしも状況から独立した事物のみを指示するものではない，という可能性である。もしそうならば，これは明らかに事物カテゴリーバイアスと矛盾し，事物カテゴリーバイアスが生得的なバイアスであることに疑問を投げかけるものである。

ことばの過剰適用

ことばをある特定の文脈に制限的に用いる誤用は，先にも述べたように，子どもがことばを発話し始めて間も無くのごく短い時期に集中してみられる。この時期の後，子どもはひとつのことばをさまざまな事物に自発的に拡張するようになるが，その拡張範囲が大人の慣習的な意味範囲よりずっと広くなる場合が多く観察されている。この現象はことばの過剰適用（over-extension）と呼ばれる。

ネルソンは，子どもが事物（objects）を指すことばを覚えても，そのことばの自発的適用が事物カテゴリーバイアスに反する場合が初期（生後9ヶ月から13ヶ月位）には頻繁に観察される，と主張する。その例として引き合いに出されるのは，一般にコンプレクシヴ（complexive）と呼ばれるタイプのことばの過剰適用である。このタイプの誤用は，ある事物のラベルとして覚えたことばを他の事物に拡張する際，形や機能など一貫したひとつの基準に基づいて拡張するのではなく，連鎖的な連想関係に基づいて拡張するものである。たとえば，ドローミ（Dromi, 1987）は，ヘブライ語を母国語として学習している女児が，「蝶」を指す“parpar”ということばをステッカー，丸いもの全般，タオル，平らな表面に描かれた色のついた点々などに拡張したり，「擦り傷」を指す“peca”ということばをナイフ，服についた泥，バンドエイドに拡張した誤用を報告している。

コンプレクシヴな拡張に似た過剰適用のタイプとして，もともとラベルが付与された事物を典型（プロトタイプ）とし，その事例からいくつかの異なった知覚次元に基づいて違う方向に同時に並行してラベルを拡張していくタイプ（prototype-based over-extension）も報告されている。たとえば，バウアマン（Bowerman, 1980）は，英語を母国語とする女児が，生後16ヶ月から2歳の間に“moon”ということばを三日月，満月などいろいろな形の月，レモンスライス，てかてかと光っている葉っぱ，牛の角，グレープフルーツを半分に切ったもの，さやえんどう，黄色の野菜などに適用したことを観察した。これは，子どもが，三日月の月を“moon”のプロトタイプとし，そこから形の類似や色などの異なる知覚属性に基づいて，ことばを拡張していたことを示している。

ことばの適用制限から過剰適用へ

ことばの適用制限は，本来カテゴリーを指すことばを特定の事物に限定したり，特定の文脈に限定したりすることばの使用である。前述のように，このタイプの誤用はほとんどのダイアリーデータで報告されているが，その期間は非常に短く，またその事例数が総語彙数に占める割合も多くない。このことから，ことばが特定の状況下における事物ではなく，状況に独立して，事物そのものを指し示すものであること，また，ことばのほとんどはひとつの事物のみを指示するのではなく，複数の事物をグループ（カテゴリー）として指し示すものだ，という認識は非常に早い段階で得られるものであると思われる。ただし，同時並行的に複数の知覚次元に基づいたり，事物から連想されるものを次々にカテゴリーに入れていくのではなく，形状というひとつの知覚次元のみを基準にしてラベルが拡張できるようになるまでには，いくらかの時間と学習を要するようである。

特定の状況や文脈に制限されたことばの使用から，過剰適用，そして正しい外延カテゴリーの形成に移行するパターンは，岡本（Okamoto, 1962；岡本，1982）に報告される日本人の子どもの「ニャンニャン」ということばの意味の変遷をみていくとわかりやすい。

この女児は，生後7ヶ月で「ニャンニャン」ということばを快適な状態のときに満足を表わす音声として発話し始めた。生後9ヶ月になると，「ニャンニャン」の対象が特定の2つの事物に制限された。ひとつは自分が以前から愛玩していた「白い毛製のスピッツ」のおもちゃで，もうひとつは親と一緒にいつもみていた「桃太郎の絵本にでてくる白犬」であった。この状態は1ヶ月ほど続いた。

生後10ヶ月から1歳までの間は，「ニャンニャン」がさまざまな他の事物へ拡張された。その拡張の方向が，上記の過剰適用のタイプのひとつとして記した，2つ以上の知覚次元のそれぞれの方向に拡張していくものであった。ひとつはたぶん形状の次元で，イヌ，ネコ，トラなどの四つ足の動物に過剰拡張されていった。別の知覚次元は色あるいは感触で，実物のスピッツ，白毛のパフ，白毛のついた自分の靴，白い毛糸の束，白い毛布，羽織の紐の房，白い壁などへ拡張していった。このパターンはバウアマンの観察したプロトタイプに基づいた過剰適用と同質のものである。

生後1歳0ヶ月から1歳6ヶ月くらいにかけて，慣習語や大人のことばを含む種々の動物のことばが語彙に入ってき

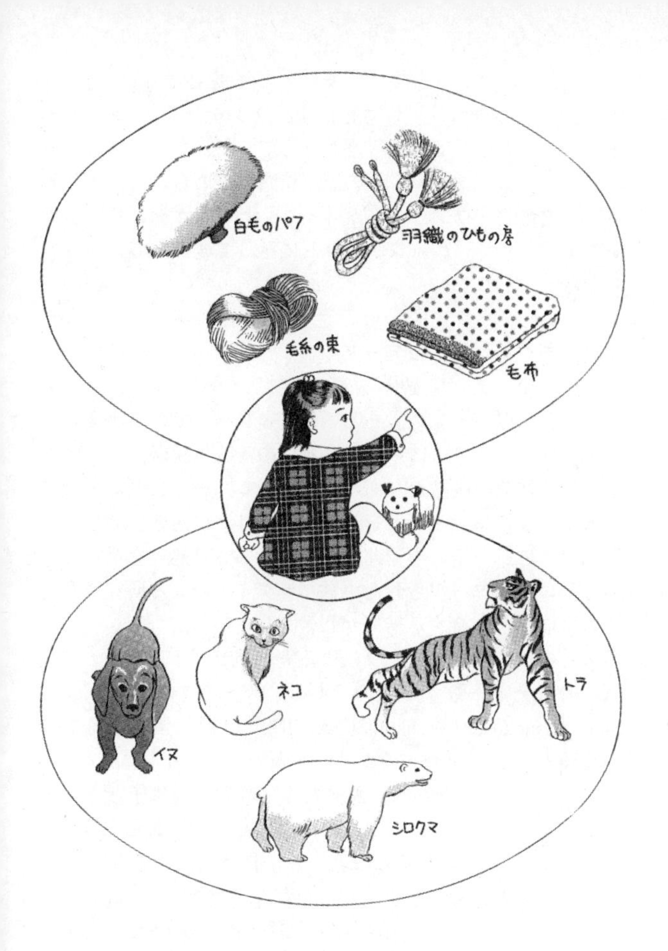
白毛のパフ
羽織のひもの房
毛糸の束
毛布
イヌ
ネコ
トラ
シロクマ

た。たとえば，ウシを指す「モー」，ゾウを指す「ゾー」，ウマを指す「ウンマ」，クマを指す「クンチャン」などである。これらのことばの獲得と並行して，これまで過剰適用されていた「ニャンニャン」の適用範囲は狭められていくと同時に，慣習語「ワンワン」が「イヌ」というカテゴリーを指すことばとして「ニャンニャン」にとって変わっていったのである。

実験パラダイムからのデータ

日常生活における観察記録を基にしたダイアリーデータは，形状類似バイアス，あるいは基礎レベルでの事物全体・カテゴリーバイアスに基づくことばの意味仮説が，ことばの学習の最初期の段階からあるのではなく，そこに至るまでにどのような基準でことばを外延カテゴリーに対応させるかを学ぶために，一定の学習期間が必要である可能性を示唆している。コントロールされた実験パラダイムによる研究でも，この可能性を支持する結果が報告されている。

スミス達の研究グループによる実験パラダイムでのデータはこの考えと一致するものである。スミス達の研究（Jones, Smith, Landau & Gershkoff-Stowe, 1992）は形状類似バイアスの出現パターンを調べるため，8人の乳児を生後15ヶ月から20ヶ月の間，継時的に調べた。被験者の親は子どもによって発話された新しいことばをすべて記録することを求められた。セッションの初めに乳児達が持っていた産出語彙数は，どの子どもも5語以下だったが，終わりには150語に達しており，そのうちの半数以上が具体物（concrete objects）の名前であった。この乳児達は3週間ごとに実験室へ連れて来られ，未知の事物（object）を用いたラベル拡張課題を遂行した。実験材料はラベルがつけられる標準刺激と3つのテスト刺激で，それぞれのテスト刺激は，標準刺激に対して色，形，触感（素材）がそれぞれ変えられ，残りの2要因は標準刺激と同一にされたものであった。

以下のような手順で実験が行われた。

(1) 標準刺激と3つのテスト刺激がテーブルに置かれ，子どもはそれで遊ぶように誘導される。
(2) 実験者は標準刺激を取り上げ，“This is a dax. Look, this is a dax” と言う。
(3) 標準刺激を持ちながら，もう一方の手を手のひらを上にして差し出し “Give me another dax” と言う。
(4) 手渡されたテスト刺激をテーブルの上に戻し，子どもに，また，それで遊ぶように言う。

この手続きを同じ刺激セットと同じ名前を使って3週に一度の実験セッションごとに繰り返した。

スミス達はセッションごとに形状が同じ刺激，色が同じ刺激，触感が同じ刺激を選んだ回数の平均をそれぞれ計算し，それを子どもの産出語彙のうちで具体的事物を指示することばの数とつきあわせた。その結果，形状が同じ刺激を選択する形状反応はこの実験の最初には他の反応に比べて特に多くはなかったが，終わりの頃には他の反応タイプより目立って多くなっていたことがわかった。

さらに重要なことに，形状反応が急激に増加し，子どもが語彙学習における形状類似バイアスを示し始めたのは，子どもの語彙の中で事物を指し示すことばが50語を超えたあたりからであることが示された。このことから，形状類似バイアスはことばの学習の最初期の段階から適用されるわけではなく，事物をことばに対応づける経験を通して，同じラベルが適用されるのは色や素材などの知覚次元ではなく，形が同じ事物同士だということを子どもが学んだ結果であるとスミス達は主張している。

7.2　制約の文化普遍性——乳児のことばの学習パターンの異言語比較データ

事物全体・カテゴリーバイアス，あるいは形状類似バイアスが生得的なものかという問題に対して，それが全く学習期間を必要とせずにことばの学習の当初から適用されているかどうか，という観点から評価すると，答えは否定的であるように思われる。

しかし，言語学習における生得性を考える際に重要なもうひとつの点は言語普遍性である。異なる言語を母国語にする子どもたちが，言語インプットの言語構造の違いにもかかわらず，一様の学習パターンを示すとしたら，それは言語インプットに独立の普遍的学習メカニズムが子どもに備わっているという知見を支持するものとなる。そこで，事物全体・カテゴリーバイアスあるいは形状類似バイアスが異なる言語圏で，普遍的に適用されているかどうかをみていこう。

名詞が先か，動詞が先か

前にも述べたように，事物全体・カテゴリーバイアスとは，子どもは未知のことばが事物のカテゴリーの名前であると想定する，というものである。したがって，事物全体・カテゴリーバイアスが生得的なバイアスで，ことばの学習の当初から子どもを導く制約であるなら，インプット言語の構造に関係なく，どの言語でもことばの学習の初期には具体的な事物を指し示すラベル，つまり，普通名詞が他の種類のことばより先に学習されるはずである。ではこの予測は当たっているだろうか。

名詞の学習の言語普遍的優位性を示すにはどのような言語からのデータが必要か

「言語インプットに関係なく普遍的に」事物カテゴリーを指すことばが，行為や関係や属性を表わすことばよりも早く獲得されることを示すためには，英語を話す子どものデータは最適なものとはいえない。英語の文法的特徴が名詞を他の品詞のことばより認知的に際立たせている可能性があるからである（Gentner, 1982; Gopnik & Choi, 1995）。英語は語順が主語，動詞，目的語の順に配置されるSVO言語に属する。このため，動詞は文の中に埋め込まれ，目立たない位置にあるのに比べ，名詞は目立つ位置，つまり文頭か文末に来ることが圧倒的に多い。また，英語の場合には日本語のように主語が省略されることが文法的に許されないので，親や他の大人が子どもに話しかける際の発話インプットの中で名詞の数が動詞の数よりも多いことが考えられる。

事物全体・カテゴリーバイアスが言語普遍的に適用されているかどうか調べるには，名詞がどちらかというと目立たず，動詞が文末の目立つ位置にある言語で，ことばの学習パターンを調べるべきである。このような言語としては韓国語や日本語などが当てはまる。韓国語や日本語はSOV言語で，動詞が文末に来る。しかも，主語が文脈で明らかな場合は省略が許され，そのため，発話文が動詞一語からなることもしばしばある。これらの特性のため，韓国語や日本語ではインプットにおける総語数の中で動詞が他の品詞のことばに対して占める割合が高く，また，それが文頭か文末，つまり発話の中で目立つ位置に現われる確率が高い（Au, Dapretto & Song, 1994）。

韓国語では動詞が名詞より先に学習される？

ゴプニクとチェ（Gopnik & Choi, 1990, 1995）は９人の韓国語を母国語とする子どもを生後15ヶ月から６ヶ月間，２，３週間の間隔で語彙調査をした。調査は彼女たちが作成した語彙インベントリーを母親に記入してもらい，子どもの名詞語彙と動詞語彙の数を継時的に観察し，そのパターンを英語を母国語とする同年齢の子ども達のデータ（Gopnik & Meltzoff, 1987）と比較した。その結果ゴプニク達は，韓国語を母国語とする子どもは英語を母国語とする子どもより名詞語彙の発達が遅れ，そのかわり動詞語彙の発達が早かったと報告し，名詞の獲得が動詞の獲得に先行するという事物全体・カテゴリーバイアスは言語普遍的でないと主張した。

しかし，これに対し，オウ達（Au, Dapretto & Song, 1994）は，ゴプニク達の調査方法の妥当性を疑問視し，韓国語を母国語とする子どもを使って調査をやり直した結果，ゴプニク達の主張を覆すデータが得られた。オウ達はゴプニク達の語彙インベントリーが動詞語彙としてカウントされる事例の数を，名詞語彙の事例数に比べ不当に有利になるようにしているとして，ゴプニク達を批判した。彼女達によれば，ゴプニク達の用いたインベントリーには，子どもの語彙によくみられる12の動詞はあらかじめ記載してあり，親は子どもがこのことばを発話したことがあればそれに印をつけていくだけでよいようになっているが，名詞を含めたその他のことばは親が自分で思い出して記入しなければならない。また，ゴプニク達の動詞語彙のカウントの仕方も公正とはいえず，「バイバイ」「もっと」などの本来は動詞とみなされないことばも含め，事物を指す名詞以外のすべてを動詞のカテゴリーに含めたことが，韓国人の子どもの動詞語彙を実際より大きくしてみせていると，オウ達は主張するのである。

オウ達はこの動詞に対して有利に働くバイアスを是正するため，被験者の親が記入するインベントリーに動詞とほぼ同数の名詞を項目に含め（117の動詞と132の名詞），それらに対しては子どもの語彙の中に既出かどうかチェックするだけにした。彼女達は，この改良されたインベントリーを用いて計7人の韓国語を母国語とする子ども（年齢幅は生後17ヶ月から23ヶ月）を調査した。その結果7人の子どものすべてにおいて，名詞のほうが動詞よりもずっと多く語彙に含まれていることが確認された。

ゴプニク達とオウ達の研究は，ほぼ同じ年齢の，同じことばを母国語とする子どもを対象にし，動詞語彙と名詞語彙のどちらが優勢かを観るという同じ調査目的を持つにもかかわらず，全く逆のデータを得，逆の結論を導いている。このことは，ことばを話し始めたばかりの子どもの語彙調査を客観的かつフェアに行うことがいかに難しいかを示すものである。しかし，ゴプニク達とオウ達の間の論争に関しては，オウ達のゴプニク達に対する批判は的を得たものと思われ，オウ達のインベントリーのほうが妥当であると思われる。また，韓国語以外の言語を対象にした研究でも，オウ達の主張，つまり具体物を指す名詞は言語普遍的に他の品詞のことばより獲得のペースが速い，という考えは支持されている。以下では日本語からのデータとイタリア語からのデータをみてみよう。

日本語からのデータ——名詞優位性説への支持

岩淵達（1968）は，ひとりの日本人男児の生後11ヶ月から2歳3ヶ月までの名詞，動詞，形容詞＋形容動詞の累計語数をそれぞれ報告している。図7.1から明らかなように，名詞の数が生後15ヶ月を境に急激に伸び，他の品詞を大きく上回っている。日本語は韓国語と非常に類似した言語的特性を持ち，この問題にとっては重要な言語である。また，このデータはこの問題とは関係ない，つまりどちらの立場にもバイアスがかかっていない，中立な立場で収集された。これらのことを考慮すると，これは言語普遍的な名詞優位説にとって有利なデータということができよう。

イタリア語のデータ——名詞優位性説へさらなる支持

最近のカセーリやベイツ達のグループ（Caselli, Bates, Casadio, Fenson, Fenson, Sanderl & Wier, 1995）も，ことばの学習における名詞の優位性を示すデータを報告している。カセーリ達はオウ達や岩淵達の調査よりもずっと大規模に，イタリア人とアメリカ人の生後8ヶ月から16ヶ月にわたる乳

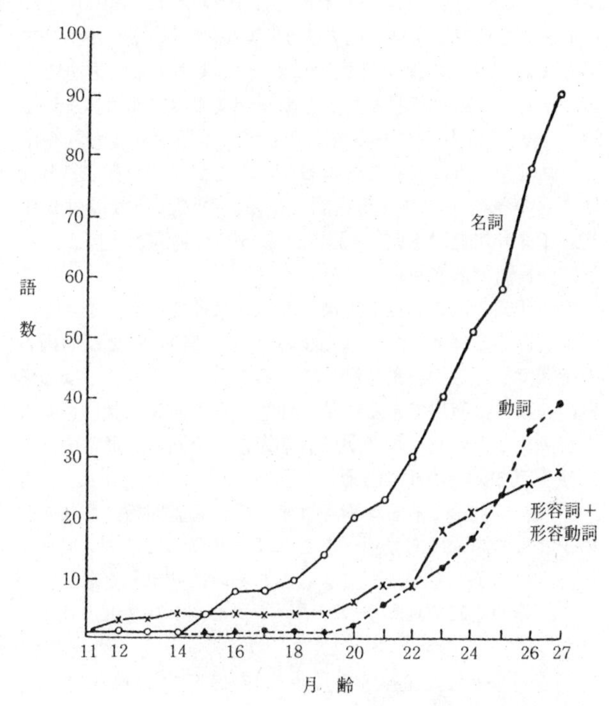

図 7.1　日本人男児の語彙における名詞，動詞，形容詞・形容動詞の累計（岩淵ほか著『ことばの誕生』（日本放送出版協会），p. 134，図 4-1 より転載）

児の語彙を調査した。対象としたアメリカ人の乳児は 659 人，イタリア人乳児は 195 人に上った。この調査はひとりの子どもを継時的に調査するのではなく，生後 8 ヶ月から 1 ヶ月ごとに区切って，それぞれの年齢層でほぼ同数の被験者からデータを採取する横断的方法が用いられている。イタリア語もまた，名詞の優位性仮説にとっては興味深い言語である。イタリア語は英語と同じく動詞が文の中に埋め込まれるSVO言語ではあるが，英語よりもずっと語順が変わりやすく，動詞が文末に来ることが多い。また韓国語や日本語と同様主語の省略が許される言語である。このような特性により，イタリア語はSVO言語ではあっても動詞が名詞よりも目立つ言語であるからである。

この研究の重要な点は規模の大きさだけでなく，子どもが産出したことばと，産出はしないが知っていることばの両方の指標で子どもの語彙を測っていることである。ことばの学習の初期には産出できる語彙と理解できる語彙の数に通常大きな隔たりがあり，後者が前者を大きく上回る。通常のダイアリーデータでは産出語彙しか記録しないので，カセーリらのデータは貴重である。調査はオウ達の調査同様，あらかじめ子どもの語彙にありそうなことばを網羅的にリストアップし，自分の子どもが理解できる，あるいは産出した項目について，親がそれぞれ印をつけていくチェックリスト方式で行った。

調査対象とした生後8ヶ月から16ヶ月までの語彙の発達パターンは，言語構造の差異にもかかわらず，英語のサンプルとイタリア語のサンプルの間で驚くほどの一致をみせている。名詞語彙と動詞語彙の比較という点では，産出できる語彙，理解できる語彙でどちらの言語群とも，名詞の数が動詞の数をずっと上回っていた。

カセーリ達のデータは，この章の前節で扱った事物全体・カテゴリーバイアス／形状類似バイアスの発達がことばの学習の当初から適用されるのか，あるいは一定の学習期間を経て初めて適用されるようになるのかという観点からも非常に興味深い。先にも述べたように，もしこれらのバイアスがことばの学習の当初から適用されるなら，初語から一貫して普通名詞が名詞語彙のほとんどを占めるはずである。しかしながら，イタリア語サンプル，英語サンプルとも，普通名詞，固有名詞，行き先などの場所，音で対象物を表わしたもの（モー，ブルーンなど）などを含む名詞カテゴリーの中に占める普通名詞の割合は，生後8ヶ月から16ヶ月の年齢層を平均して半分に満たない。

さらに興味深いことに，それを月齢で区切るのではなく，産出語彙の総数で1語～5語，11語～15語というように5語ずつに区切ってグループ分けをして観察していくと，産出語彙の総数が増えるに従って語彙全体に対する普通名詞の割合が増えていく傾向が両言語サンプルで明らかにみられた（図7.2（a））。総産出語彙が1～5語の乳児における普通名詞の割合は20％以下であったのが，50語前後になると50％を占めるほどになる。この報告は，この章の前節で紹介したスミス達の研究でやはり総語彙数が50前後になった頃から形状類似バイアスが出現してくるという結果と重ね合わせて考えると非常に興味深い。産出語彙数ではなく理解語彙数を基準にした同様の分析でも同じようなパターンが示されている（図7.2（b））。

ことばの学習当初の言語普遍的発達パターン

本章では，ことばを話し始めたばかりの乳児が言語普遍的に事物全体・カテゴリーバイアス／形状類似バイアスをこと

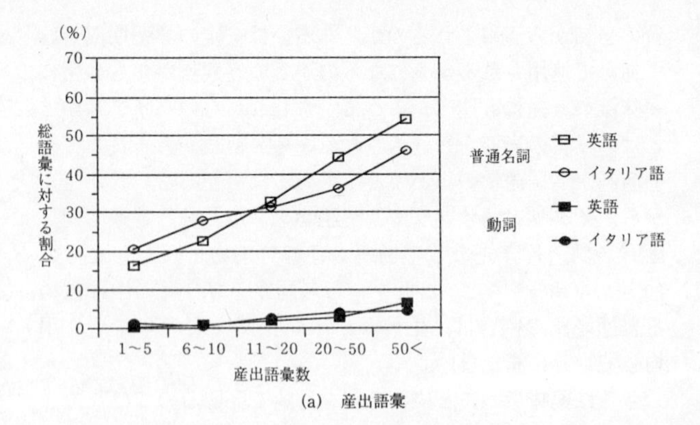

(a) 産出語彙

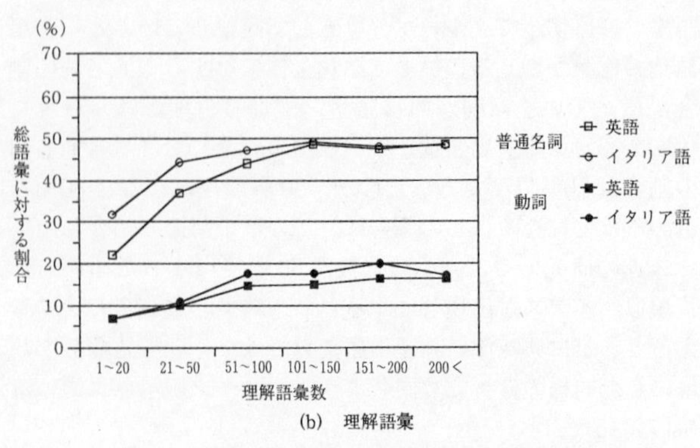

(b) 理解語彙

図 7.2 普通名詞と動詞の総語彙数に対する割合

ばの学習の制約として用いているかという問題を，異なる言語サンプルを比較することによって概観してきた。ゴプニクとチェの報告を除いては，言語構造が大きく異なる言語でも子どもの語彙発達パターンは非常に類似している。子どもの初期の語彙には名詞が他の品詞のことばよりずっと多く，名詞が言語インプットの中で目立つ存在であってもなくても，名詞がことばの学習の中でもっとも速いペースで学習されやすい。これは事物全体・カテゴリーバイアス，あるいは形状類似バイアスの存在を支持するパターンである。

しかし，形状類似バイアス／事物カテゴリーバイアスが特に予測する普通名詞（特に事物カテゴリーを指す名詞）は当初から高い比率で出現するのではなく，一定期間を過ぎた後，急激に増加するパターンを示している。このことから制約の生得性をどのように考えるべきかは次章で詳しく考察する。しかしその前に，3歳から5歳の幼児期で子どもが事物カテゴリーバイアスあるいは形状類似バイアスを言語普遍的にことばの学習に用いているかどうかを，日本人の幼児のデータからみてみよう。

7.3　日本人幼児とアメリカ人幼児のことばの意味付与の原則は同じか

今度はことばの学習における制約そのものをテストする実験パラダイムで，日本人幼児におけることばの学習の制約を，英語を母国語とする子ども達と比較した研究を紹介し，幼児期の制約適用パターンの普遍性について考えてみる。

日本語の特性――助数詞の意味的役割

日本人の子どもにとって，形状類似バイアスあるいは事物カテゴリーバイアスを未知のことばに意味を付与する際の制約として用いているかどうかは，制約の普遍性の問題を考えるうえで重要である。その理由は，前に述べたように日本語は動詞が文末に来るSOV言語で，かつ主語の省略が許されるタイプの言語であるという他に，助数詞言語であるからである。

助数詞というのはご存じの通り，「本」，「個」，「枚」，「台」のような，名詞が指示するものの数量を表わすときに数字の後に用いるものである。どの助数詞が選択されるかは文脈中の名詞が指す事物によって決められる。たとえば，車やコンピュータのような機械類は「台」，ウマなどの大きい動物なら「頭」，ネコやネズミのような比較的小さい動物なら「匹」，鉛筆やナイフのように細長いものなら「本」，皿やレコードのように平たくて薄いものなら「枚」という助数詞が選ばれる。つまり，助数詞は名詞を限られた数の助数詞クラスにクラス分けするという機能を持つのである。

助数詞のクラス分けの基準は複雑で，名詞概念を下位から上位に階層的にまとめあげる分類学的分類とは非常に異なるものである。助数詞クラスは大まかには人，動物とそれ以外，というように区分され，この時点では分類学的基準から外れていない。しかし，それぞれの領域内での細分化の仕方は分類学的なものとは大きく異なっている（内田・今井，1996）。たとえば，動物の「頭」「匹」は大きさの基準で分けられる。非生物では事物の形と大きさを基準にした「個」「枚」「本」「粒」などのクラス，「台」のような機能性を基準にしたクラス，「山」「杯」「箱」のように計量単位を表わすクラスなどが混在している[1]。

この名詞カテゴリーの階層的構造とは非常に異なる基準のクラス分けのため，名詞概念で同じカテゴリーに属するメンバー同士が別の助数詞のクラスに属したり，存在論木で非常に離れた場所にある事物同士が同じ助数詞クラスに属したりする。たとえば，オレンジとバナナはともに果実であるが，通常は前者は「個」カテゴリー，後者は「本」カテゴリーに属する。他方，バナナと鉛筆は，一方は自然物，他方は人工物であるので存在論的区分の根本から異なるクラスに属し，分類学的なカテゴリー距離は非常に遠いにもかかわらず同じ助数詞カテゴリーに入れられる。

また，それぞれの助数詞クラスの外延カテゴリーは，「本」「枚」「台」など頻度の高いものほど，カテゴリーの境界が曖昧になり，規範的な規則のみでメンバーシップが決定できない「放射状カテゴリー（radial category）」（Lakoff, 1987）になる傾向がある。たとえば，「本」カテゴリーではなぜ電話の通話やホームランなどが非典型的なメンバーとしてカテゴリーに入れられるのか，その理由は大人でも言語化するのが難しい。たぶん，電話の場合には電話線の細長いイメージから，ホームランは「本」カテゴリーの典型的メンバーであるバットからの連想的つながりと，球の軌跡が細長いことに由来しているとレイコフは推測しているが，このような連想的つながりや，イメージなどに基づいてメンバーをカテゴリーに入れることは名詞カテゴリーでは滅多にないことである。

内田と今井の日米比較実験

内田と今井は，ことばの学習における制約の普遍性の観点から，名詞の分類学的階層構造とは非常に異なる基準で名詞概念をクラス分けする助数詞の存在がどのような影響を与えるか，という問題を検討するため，日本人の3歳，4歳，5歳の幼児で今井達のアメリカ人の幼児を対象とした実験を修正，拡張した2つの実験を行った（内田・今井，1993)。

内田と今井（1993）の2つの実験の結果は，助数詞という，分類カテゴリーとは非常に異なった基準で名詞を分類する文法クラスの存在にもかかわらず，日本人の幼児は未知の名詞への意味付与にアメリカ人の幼児と非常に類似した原則（バイアス）を持ち，同じような発達パターンをたどることを示した。つまり，当初は形状類似性に強く依存するが，カテゴリーについての領域知識が深まるにつれてしだいに形状類似性への依存が弱まり，カテゴリー関係を基にラベルの拡張ができるようになることが日本人の幼児でも示されたのである(2)。

7.4　この章でわかったこと

この章では形状類似バイアス／事物全体・カテゴリーバイアスが生得的なものであるかどうかという問題について考えるため，制約を次の観点からみたいくつかの研究を紹介した。

(1)　学習の当初から用いられているか
(2)　言語普遍的に働いているか

2つの観点からの結論をまとめると，一見矛盾したものにみえるかもしれない。(1)の観点からは，事物全体・カテゴリーバイアス／形状類似バイアスと矛盾しないことばの産出は，子どもが最初のことばを発話してからしばらくして，総語彙数が50語程度になってからという見方が妥当だと思われ，これらの制約が生得的なものであるとの立場に否定的な結論となっている。

他方，(2)の観点からは，言語構造が大きく異なり，したがって子どもが受け取る言語インプットが大きく異なる言語の間でも，子どもがことばを学習していくプロセスは驚くほど類似している，という結論が得られた。子どもは総語彙数が50語くらいになる2歳前後で形状類似バイアスによる名詞ラベルを拡張していくようになる。この際，形状類似性に注目したラベルの拡張は基礎レベルの分類学的カテゴリーと大きくオーバーラップするものとなる。形状類似性に基づくカテゴリーと分類学的カテゴリーが一致しない場合には，経験豊富で精緻な知識を持っている概念領域を除いて，幼少の子どもは非知覚属性よりも形状類似性に頼ってラベルを拡張し，外延カテゴリーを作っていくが，領域知識が深まり，知識表象が組織立ち，精緻化するにつれ，徐々に非知覚属性に基づいてラベルを拡張するようになっていく。このような言語インプットに独立の語彙発達パターンの普遍性と，ことばへの意味付与の原則の移行パターンの普遍性は，ことばの学習における生得的なメカニズムの存在を示唆するものである。

次章ではこの章での結論を基に，事物全体・カテゴリーバイアスあるいは形状類似バイアスがどのようなメカニズムで生まれてくるのかを考え，生得性の問題を再検討する。

注

(1) 日本語の助数詞の意味的基準について，詳しくはダウニング，デニイ，松本などの研究を参照されたい（Downing, 1984; Denny, 1979; Matsumoto, 1993）。

(2) 実際，今井・内田のより最近の研究（今井・内田，1995）では，助数詞と名詞ではことばの外延カテゴリーの基準が異なることを幼児でもある程度理解しており，助数詞カテゴリーの性質が名詞の外延カテゴリーの基準に影響を与えることはないことを示した。

第8章　形状類似バイアス／事物全体・カテゴリーバイアスの起源

8.1　制約は学習の当初から働かなければならないか

前章では事物全体・カテゴリーバイアスあるいは形状類似バイアスがことばの学習の当初から適用されているかという観点と，言語インプットに独立に普遍的に適用されているか，という観点からさまざまなデータを総括した。その結果，制約の生得性の問題について，第一の観点では生得性に反する結論，第二の観点では支持する結論に至った。では，われわれはこの矛盾をどう考えるべきであろうか。

ここでまず考えたいのは，制約というのは一部の研究者（Nelson, 1988; Kuczaj, 1990）が考えるように，「ことばの学習の当初から全く言語インプットの必要性なしに用いられなければならないものなのかどうか」，という問題である。マークマン（Markman, 1992; Woodward & Markman, 1991）はこの問題に関して，「制約がことばの学習にもともとプログラムされているかどうかは，インプットなしに学習の当初から適用されているかどうかということと同じではない」，と主張している。生得的にプログラムされていても，たとえば思春期に現われる身体的変化のように，何らかの条件が満たされて初めて出現する可能性もある。この考えに従えば，子どもが50語程度のことばを語彙に持つようになるまで事物全体・カテゴリーバイアスに一致したパターンが現われないことは，それらの制約が生得的なバイアスとしてプログラムされているという考えを覆すことにはならないのである。マークマンにとって事物全体・カテゴリーバイアスが生得的であると考える根拠は，論理的必要性そのもの――つまり，人間の持つ語彙（レキシコン）にはほとんど無限数の多様なことばが存在すること，その無限数のことばを学習するのに問題探索スペースを制約するバイアスがなければことばの学習は不可能である，という論理――なのである（そしてこの考えはまさに文法の学習における生得的制約の考えとパラレルな考え方である〈Chomsky, 1965; Pinker, 1987, 1989〉）。

生得的にプログラムされたものは誕生からすぐに適用可能とは限らない，というマークマンの考えは妥当なものであるように思われる。また，このように考えれば，言語インプットが異なる数多くの言語で非常に類似した語彙発達パターンがみられることも説明できる。では仮にマークマンの主張が正しいという前提に立って考えてみよう。

事物全体・カテゴリーバイアスの標準的な考え方は，これまで述べてきたように，以下のようなものである。子どもは世の中が整然とした「分類学的カテゴリー」によって区分けされていると生まれながらに信じ，それぞれのカテゴリーにひとつひとつのラベルが対応する，という信念を持って生まれてくる。さらに，その「分類学的カテゴリー」の分類の根拠は「目に見えない本質的属性」の共有であり，知覚類似性ではない。したがって，この立場に立つ研究者達は「何が生得的にプログラムされているか」という問いに対して，「ラベルが本質的属性を共有する分類学的カテゴリーのひとつひとつに対応する，という信念そのものを子どもは持って生まれてくる」と答えるであろう。

この考えの下では形状類似バイアスは，事物カテゴリーバイアスによって生み出された一時的な現象と考えられる。子どもは上記の信念に基づき，未知のことばを事物のカテゴリー，つまり「本質を共有する事物の集まり」を指示するものと解釈するが，実際にはそれぞれのカテゴリーにとっての「本質」が何か，また，具体的にどの事物が「本質」を共有しているのかがわからない。そのため，初期の言語インプットの分析から「同じラベルで呼ばれる事物は互いに形状が類似している」というパターンを導き出し，形状類似バイアスが出現する。この考えに従えば，形状類似バイアスは生得的な事物カテゴリーバイアスに反するものではなく，それによって必然的に導かれたヒューリスティックスと考えられるかもしれない。

しかし，この考え方はどちらかというと心理学的モデルというより哲学的モデルである。繰り返し述べているように，この考え方の前提になっているのは「人間の概念は多種多様で，ことばを外界に対応づける方法は無限にある」という命題であり，「それにもかかわらず，子どもが急速に効率よくことばを学んでいく現象を説明するには，内的で生得的なメカニズムが必要」という論理的必然性である。

確かに，言語インプットや文化に対して普遍的に子どもが一様なことばの学習パターンをたどることは，子どもがいろいろな要因に制約され導かれ，「たどるべき道をたどって」，ことばを学習していることを示唆するものである。しかし，それらをすべて「子どもに内在する生得的なメカニズム」に帰してしまってよいものだろうか (Smith, 1995; Thelen & Smith, 1994)? 以下では，形状類似バイアスと事物カテゴリーバイアスを「子どもに内在する言語領域固有の生得的な命題」として片づけてしまうのではなく，子どもに内在する一般的認知機構，外界からのインプットにおける制約などから必然的に導かれたものである，という可能性を考えてみる。

8.2 形状類似バイアス／事物カテゴリーバイアスが生まれる過程

前章では，ことばを急速に覚えていく時期の前に，ことばの適用を制限し，さらに事物カテゴリーバイアスに反する過剰適用をする時期があることを紹介した。実はこの時期は，ことばがどのように自分を取り巻く世界に対応しているのかを，子どもが探っている時期なのではないだろうか。そして子どもが，ことばと世界の対応について，ある種の「洞察」(insight) を得たとき，いわゆる語彙爆発が始まり，急激に語彙を増やしていくのではないだろうか。

では，この「洞察」とはどのようなものだろうか? もし，その「洞察」が「世の中は整然と論理的に区分けされていて，ことばはそのひとつひとつの区分，つまりカテゴリーを指すものだ」という抽象的な命題だとしたら，まさにそれは事物カテゴリーバイアスそのものにほかならない。

最初の洞察——ことばの一貫した指示機能

しかし，もしかしたら子どもは，いきなりそのような抽象的な命題に至るのではないかもしれない。そのような命題的洞察は，もう少し具体的な，経験に根ざした無意識のバイアスから徐々に発展していったものではないか，と筆者は考える。たとえば最初の洞察は「ことばは特定の状況に限定されたものでなく，いろいろな場面で何度も何度も使われるものである」という程度のものではないだろうか。しかし，少なくともこの洞察は，状況に限定的なことばの使用から，状況に独立したことばの使用へと子どもの注意を向かわせるはずである。

ことばを複数の事物に適用するようになり，さらに新しいことばが語彙に入ってくるようになると，最初の洞察は「ことばは一回一回の発話状況で意味が変わるものではなく，その指示機能は恒常的で一貫したもの」という洞察に変わっていくのではないだろうか。つまり，子どもは未知のことばが複数の状況で使用されたときに，そのことばを具体的事物に限らず，複数の状況の中で一貫したもの，と想定するようになるのではないだろうか。その想定の下で，未知のことばを自分を取り巻く世界に対応させていく際に，さまざまな状況において，もっとも恒常的で一貫したものは何であろうか。

状況の中で一貫したものは何か？

おもに動詞によって指示される事物の活動や関係と，名詞によって指示される事物そのものを比べてみよう。異なる時空間上で恒常的なもの，つまり，子どもが「前に見たことがある」と同定しやすいのは，具体的な事物であろう。具体的な事物，特に物体（object）は，それが外からの力で壊されない限りは恒常的な存在だからである。つまり，昨日見たある事物を今日別の場所で見た場合，昨日見たものと，いま，目の前にあるものが同じものだと同定するのは容易である。それに比べ動詞によって指示される概念は，一般的に「同じもの」を決定する際に，具体的事物よりも抽象度が高くなる。これは，行為や関係というのは必然的にひとつ，あるいは複数の事物を含むものであるが，「同じ行為」や「同じ関係」はそこに含まれる事物の同一性によって決定されるものではないという理由からである。

たとえば，「投げる」という動詞が使われるときのシーンについて考えてみよう。この動詞には，動作を行う主体（エージェント）と投げられるもの（オブジェクト）が最低含まれ，しばしばオブジェクトを受け取る受け手や，オブジェクトが投げられる方向までシーンに含まれる。また，「投げる」という動詞はさまざまなシーンで発話されるだろう。母親が自分に向かってボールを投げるシーン，誰かが犬と遊んでいて棒を投げるシーン，二人の人間がキャッチボールをするシーンなどでは，それぞれ異なる事物が「投げる」ということばとともに登場する。「投げる」行為自体もシーンごとに少しずつ違っている。たとえば，子どもに向かってボールを投げる場合と，犬が取ってくるように棒を投げる場合では，投げ手（エージェント）の体の動かし方も，投げられる物体（オブジェクト）の空間上での軌跡もそれぞれ異なる。子どもが「投げる」という動詞に意味を付与するためには，その中から「投げる動作」のみに注目し，各シーンにまたがって「恒常的で一貫したもの」を抽出しなければならないわけであるが，これが非常に抽象度の高いレベルで「同じもの」を抽出しなければならない作業だということが上のことからわかるだろう。

それに対して「ボール」ということばはどうだろう。ボールを投げるとき，母親がボールを手渡してくれるとき，床にあるとき，さまざまなシーンで「ボール」ということばを聞くたびに「丸くて転がるもの」が一貫して登場する，と気づくのは，「投げる」という動詞を含むシーンで何が一貫しているものなのかに気づくよりも，ずっと簡単なことであろう(Gentner, 1982)。

自然分割仮説——外界からの制約

前章では，インプット言語に関係なく，子どもは名詞を動詞より先に，速いペースで学習することを示すさまざまなデータを紹介した。このことは一般的に事物全体・カテゴリーバイアスを支持する証拠として受け取められている。しかし，この現象を説明するのに，必ずしも事物全体・カテゴリーバイアスのような抽象的な命題が必要だろうか？

ゲントナー（Gentner, 1982）は，名詞の学習が動詞の学習に先行する理由を「自然分割仮説（Natural Partition Hypothesis)」の観点から説明しようとする。自然分割仮説とは，子どもが名詞を最初に学ぶのは，名詞が指示する対象は認知的に顕現的であり，状況の中から独立して取り出しやすいからである，と考える仮説である。つまりこの考えは，名詞が優先的に学ばれる理由を子どもの持つことばの意味についての「理論」に帰するのではなく，外的世界の在り方に帰すわけである。

この考えに沿って事物全体バイアスを説明できるかどうかさらに考えてみよう。

子どもが「ことばは一貫した指示対象を持つ」という洞察

に至り，異なる状況の下で同じラベルを聞いたときに状況間で一貫したものを探すうちに，名詞の指示する概念が動詞の指示する概念よりも状況（シーン）から取り出しやすく，ことばとの対応がやさしい，ということに気づいたとしよう。この洞察——つまり，ことばは一貫した指示対象を持ち，シーンの間で一貫した指示対象は具体的事物であり，したがってことばは具体的事物を指し示すものである，という洞察——こそがまさに事物全体バイアスである，とは考えられないだろうか。このように考えると，「ことばは事物の分類学的カテゴリーに対応する」という抽象的な命題を子どもが持って生まれてくると想定しなくても，事物全体バイアスが生まれてくるメカニズムは説明できる。

ことばが具体的事物を指すという原則は，子どもが経験から得た，「ことばの指示対象は一貫している」ということばの意味に関する洞察と，外界に存在し，私たちの認知に顕現性の高い存在として訴えかけてくるカテゴリー自体の構造から自然に生まれてくるものと考えるほうが自然な考え方ではないだろうか。

エコルズのデータ

上記の事物全体バイアスの誕生のメカニズムは，実際，エコルズの乳児の研究のデータによって支持されている（Echols, 1990, 1991）。エコルズは乳児にラベルとともに2種類の手続きで連続したシーンをみせた。ひとつは，シーンに現われる物体が一定で，その物体の運動の仕方（物体の動く軌跡や動くスピードなど）がシーン間で変わるものである。もうひとつはその逆で，運動はシーン間で一定だが，運動の主体である物体がシーン間で変わるものである。

エコルズはこの実験で，生後8～10ヶ月と13～15ヶ月の乳児がシーンのどの側面に注意を向けるか，また，ラベルの存在が乳児の注意の方向に影響を与えるかどうかを調べた。その結果，年少グループはラベルを聞くと，物体自体でも運動でも，とにかくシーンの間で一貫したものに次第に注意を向けるようになるが，年長グループは物体のみに注意を向けるようになるという可能性を示唆するデータが得られたのである。この結果は，2つの月齢の間の時期に，ラベルがシーンのどの側面に乳児の注意を向けさせるかに質的な変化——つまり，単にシーンの間で一貫したものから，物体そのものへの注意の変化——があることを示すものである。

類似性を認め，カテゴリーを作る能力

形状類似バイアスと事物カテゴリーバイアスが生まれるためには，「ことばは具体的な事物を指示する」という洞察だけでは不十分である。この洞察からさらに，「ことばは類似の事物のカテゴリーを指す」というバイアスに変わっていかなければならない。では，このことばとカテゴリーの対応に関する洞察はどのように生まれるのであろうか。

ここで注目すべきなのは，人が事物の間に類似性を認め，類似したものをひとつのまとまりとしてカテゴリーを形成していく，というのは言語領域に固有なものではなく，一般的な認知的バイアスであることである。この能力が非常に早くから（多分，生得的に）備わっていることを示唆する証拠は，エイマスとクインの研究グループから報告されている (Eimas & Quinn, 1994; Quinn, Eimas & Rosenkrantz, 1993)。

彼らは，生後３～４ヶ月の乳児に，「イヌ」「ネコ」「ウマ」などの動物の写真を，それぞれのカテゴリーで６事例ずつ提示した。乳児は「同じもの」を続けて見せられるとそれに飽きてしまい，注意を他のものに移してしまう。この現象は「馴化」と呼ばれ，乳児の認知研究では，この性質を利用して，乳児が何と何を「同じもの」とし，何を「違う種類のもの」とするかを測る指標として使われている。エイマス達の実験で，乳児は６つの異なるイヌやネコなどのカテゴリーメンバーに対し馴化した。つまり，生後３～４ヶ月の乳児は，乳児が基礎レベルでの同一カテゴリー内で，異なるメンバーの間に類似性を認め，それらを「同じもの」としてみなしたわけである。

さらにエイマス達は，テスト試行で，「イヌ」のカテゴリーメンバーに乳児が馴化した後，馴化に使わなかった別のイヌと，ウマなどの別カテゴリーの絵を乳児に見せ，乳児がどちらを長く注視するかを調べた。この場合，乳児は，別カテゴリーの絵に対して非メンバーである事物を長い間注視したが，馴化のときに用いられなかった，別のイヌの絵を見たときには興味を示さなかった。つまり，エイマス達の実験では，わずか生後３～４ヶ月の乳児は，基礎レベルのカテゴリーメンバー間の類似性を認めるばかりでなく，さらにそれらのカテゴリーメンバーを，基礎レベルでの別カテゴリーに属する事物と違うものと認めることができたのである。

形状類似バイアスの出現

このように一方で類似のものを集めてグループを作るという認知的バイアスがあり，他方，ことばの学習の当初から，

ことばの多くが特定の事物に限らず，複数の類似した事物に適用されているのを子どもは観察する。たとえば「ボール」ということばは，赤い小さなゴムボールにも，大きなビーチボールにも，白い固いゴルフボールにも用いられることを子どもは経験的に知るのである。また，数少ないことばで自分の言いたいことを伝えるには，未知の事物にすでに知っていることばを適用して言い表わすしかないので，ことばの適用範囲をどんどん拡張していくことへの動機もある。これらの要因に導かれて，子どもは，ことばを自分が最初に対応させた事物に限定するより，類似のものに拡張していくほうが理に適っている，ということにも気づいていくのではないだろうか。

最初のうちは「類似したもの」の決め方も一貫した基準に落ちつかず，コンプレクシヴな過剰適用をすることがあるかもしれない。しかし，語彙が増えていくにつれて，「同じことばで呼ばれる事物に共通であるのは，色やサイズより，形であることが多い」という，新たな洞察に至り，形状類似バイアスが生まれるのではないだろうか。以上，形状類似バイアスに至るまでの子どもがことばの意味に対して持つ「洞察」の変化を図式化すると図8.1のようになろう。形状類似バイアスが事物カテゴリーバイアスに成長していく過程は第4，5章で詳しく論じたのでここでは繰り返さない。

領域普遍性と領域固有性

一般的に形状類似バイアス／事物全体・カテゴリーバイアスは言語領域に固有の生得的制約と考えられている。しかし，この章でいままで論じてきたような考え方をすると，こ

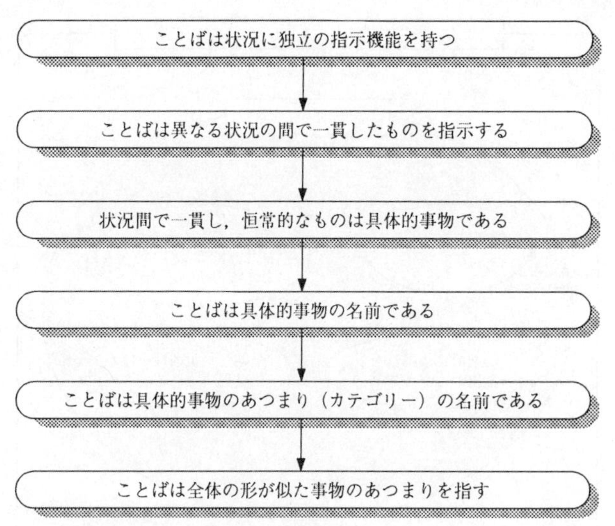

図 8.1　形状類似バイアス／事物全体・カテゴリーバイアスの発展

れらのバイアスの起源は，大部分において全般的な認知的バイアスに由来するものではないかと思われる。

たとえば，類似性を認める能力，類似したもの同士をまとめカテゴリーを作ろうとするバイアス，少ないインプットから帰納的に規則性あるいは相関関係を抽出して原則を作り上げ，さらにその原則を制約として新たな場面に適用して原則自体を自己成長的に発展させていく能力などが，事物カテゴリーバイアスを生み出す背後にあるのではないだろうか。これらのバイアス（能力）は，もちろん言語領域固有のバイアスではなく，一般的な，（そして生得的な）認知的バイアスで

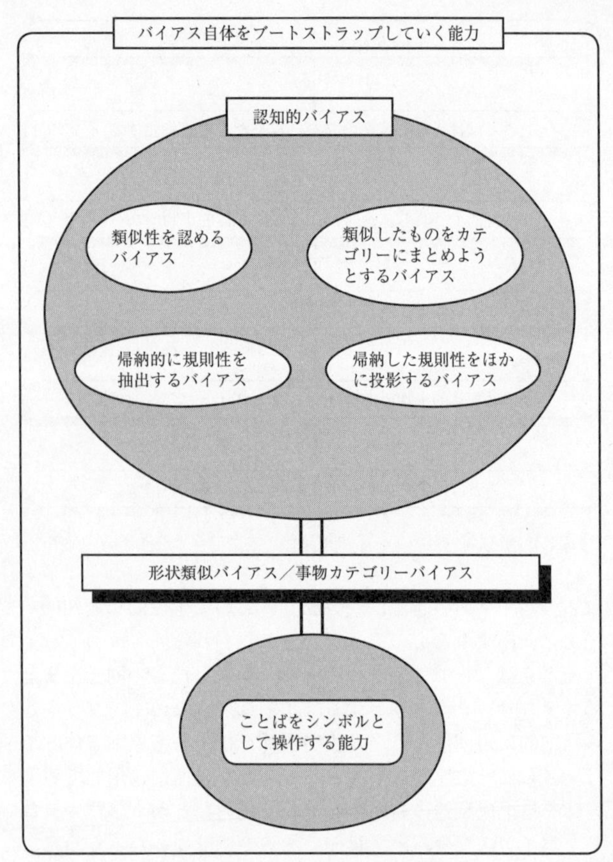

図 8.2　事物カテゴリーバイアスの起源

あろう。これらの一般的な認知的バイアスに，ことばを記号として操作し，自発的にそして一貫した方法でことばを概念に対応させようとするバイアス，つまりことばに対する洞察が加わって，形状類似バイアス，事物カテゴリーバイアスが生まれるのではないだろうか（図8.2を参照）。

次章ではこの考えをさらに発展させ，子どもがことばとカテゴリー，概念を学習していくうえで，外界から人間にもたらされる情報と人間が内的に持つ制約が，どのようにかかわりあっているのかを考えてみたい。

第9章　内的制約と外的制約の均衡関係とことばの発達

この章では，ことばの学習を導く内的制約にどのような種類のものがあるかをもう一度整理し，その相互関係を考えるとともに，内的制約が外界からの知覚情報とどのように関連しているのかを考えてみたい。

9.1 「内からの制約」と「外からの制約」

前にも述べたように，一般的に「制約」というと，すべて人間に内在するものと考えがちである。しかし，第1章で述べたように「制約」というのは，人間にとって，推論や問題解決をするうえで吟味しなければならない可能性の数を狭める，というものであるから，絶対に内的なものでなければならない，という必然性はない。実際，前章では，子どもが「類似したもの」をひとまとまりにするべく事物間の類似性を探していく際に，外界にあるさまざまな事物の在り方そのものが私たちのカテゴリー形成を導いている，という「外界からの制約」の役割を，内的制約の役割とともに強調した。

同様に，モルト（Malt, 1995）は最近の論文で，人間のカテゴリー形成に影響を与え，制約する要因として，外界の事物の在り方（structures in the world）を重視しなければならないと指摘している。彼女は人間がカテゴリーを作っていくうえで優先的な要因は，人間が外在する世界に投影するものの見方なのか，あるいは外界の在り方そのものなのか，という問題を「ニワトリが先か，タマゴが先か」になぞらえて投げかける。最近の心理学者の間ではタマゴ，つまり人間に内在する「ものの見方」あるいは「枠組み」がカテゴリー形成を制約するという考え方が優勢である（Barsalou, 1983, 1985; Murphy & Medin, 1985）。しかし，それらの心理学者が対象とする領域は，おもに実験者が恣意的に設定した人工的なカテゴリーである。つまり，もともと外在する事物が私たちに訴えかける知覚的制約（外的制約）を排除した場面で，人間のカテゴリー形成の柔軟性を示すことを目的にして実験をデザインし，そのデータを根拠として人間に内在する枠組みの重要性を強調しているのである。モルトはそれに対して，人がこの世界に存在する自然物を日常生活の中でカテゴリーに区分していく場合での「制約」を考えており，その点で子どもが日常生活の中で行うカテゴリー形成と直接にかかわる問題を扱っている。

モルトはこの問題を考えるため，人々の分類行動（folk taxonomy）について調査した文化人類学のさまざまな研究報告を総括した。この結果，彼女が出した結論を要約すると以下のようになる。

(1) 互いに交流のない多様な文化間で自然界の事物を分類する仕方は互いに非常に類似している。
(2) 異なる文化間でもっとも普遍性が高く安定度の高いレベルが存在する。これが心理学でいうところの基礎レベル，文化人類学の分類用語を使えば一般レベル（generic level）である。このレベルのカテゴリーはカテゴリーメンバー間の知覚的類似性が際立ち，同時に異なるカテゴリーに属する事物間の相違が知覚的に明らかである（Rosch, 1978）。また，このレベルのカテゴリーでは，どの文化でも一様にひとつの単語で表わされることばによってラベルづけされる（Berlin, 1972, 1992）。

(3) 基礎レベルでの分類は，文化普遍的に科学的な分類学的分類と非常に一致度が高く，文化特有の価値基準などの影響が少ない。

(4) 特定の領域での知識の熟達は基礎レベルをある程度はシフトさせるが，その程度には限界がある（Tanaka & Taylor, 1991）。

(5) 基礎レベルよりも包括的なレベル（上位レベル）では分類の仕方にある程度のばらつきがみられる。また，文化固有の価値観が反映された分類がみられるようになる（しかし，そうはいってもこれは基礎レベルと比べて，ということである。上位レベルの分類でもまったく恣意的で知覚情報が無視されているわけではない）。

これらの結論から，さらにモルトは全般的な結論を以下のように述べている。

「人間の知覚システムのフィルターを通して眺められた世界が，自身をはっきりとした分割されたまとまりとして人間に提示する時，ニワトリ，つまり自然界の客観的事実は，（タマゴ，つまり人間が世界をみるときの先行的枠組みよりも）人間の分類行動を導くのに強い影響力を持つ。これは，生物学的カテゴリーが抽象レベルの中間にある場合などに見られる（訳注：上位レベルと下位レベルの中間の基礎レベルのこと）。しかし，自然が人間の知覚，認知に対して明らかなまとまり（chunks）をみせない場合には，タマゴ，つまり分類をする人間に内在する知能の役割が（分類行動を導くうえでの）影響力を増す。これは，生物学的カテゴリーの階層構造の上位あるいは場合によっては下位のレベルでよくみられるし，また，生物学的カテゴリー以外の領域ではよくあることかもしれない」（Malt, 1995, 141ページより引用。筆者訳。括弧は注釈として筆者がつけ加えた）。

9.2　ことばの学習における外的制約と内的制約

外的制約——知覚的な分割の容易さとカテゴリーの認知的一貫性

モルトの結論は，子どものことばの学習を考えるうえでも重要な示唆を与えてくれる。外界が与える知覚情報と人間に内在する制約は互いに影響を与え，いつもある種の均衡状態を保っていると考えられるのではないだろうか。第7章では子どものことばを学習するパターンにみられる普遍性を指摘した。この普遍的発達パターンとは，子どもがインプット言語の構造的違いにもかかわらず，具体的事物を指示することば，つまり，名詞を他の品詞，特に述語となる形容詞や動詞よりも速いペースで獲得することと，その多くが基礎レベルのカテゴリーを指示する普通名詞であることであった。このことは，外的世界が人間に対して知覚的にわかりやすい区分を提示している場合には，非常に幼い子どもでも容易にことばをその区分ひとつひとつに対応づけることができることを示している。

ではどうして基礎レベルのカテゴリーはそのように認知的に顕現性が高いのだろうか？ まず第一に考えられるのは，基礎レベルでのカテゴリー区分では，カテゴリー内でメンバー同士の類似性が高く，しかも他のカテゴリーのメンバーとの区別が容易である，という知覚的要因であろう。しかし，それと同時に重要なのはカテゴリーの首尾一貫性（category coherency）という要因である。基礎レベルのカテゴリーは文化普遍的に科学的な分類と非常に一致度が高い。これは専門的な知識がなくても分類基準とすることができる知覚類似性が，それぞれのカテゴリーの科学的根拠となる非知覚属性と高い相関関係があるということを示唆している。つまり，基礎レベルのカテゴリーというのは，知覚属性，非知覚属性が収斂するレベルなのである。たとえば，動物を例にあげて考えてみても，基礎レベルでの動物のカテゴリーを記述するのに重要な知覚属性は全体的な形や嘴，足，尻尾などの部分の特徴だが，それらは多くの場合，動物の食習慣や行動パターンと深く結びついている。

また，基礎レベルのカテゴリーは，上位レベルに比べてカテゴリーメンバー間の分散が小さく，プロトタイプを中心に緊密にまとまったカテゴリー構造を示すことも，認知的な顕現性の要因となっている。人は，大人も子どもも，カテゴリーメンバー同士の分散が大きくまとまりのないカテゴリーよりも，分散が小さくまとまりのあるカテゴリーのほうが学習するのに容易であることはよく知られている（Davidson & S. Gelman, 1990; Mervis & Pani, 1980）。前章で紹介したクイン達

(Quinn et al., 1993) は，生後3ヶ月の乳児が基礎レベルでのカテゴリーの形成と弁別ができることを示したが，同時に，ターゲットカテゴリーのメンバー間での均質性（分散の小ささ）が乳児のカテゴリー形成に影響を与えることを報告している。

基礎レベルのカテゴリー区分は，外的世界がそれ自身，自然な分割を人間に提示してくれるレベルである。この「自然な分割」はカテゴリーメンバー同士のまとまりが知覚的にも非常にわかりやすく，またカテゴリーの構造が緊密で一貫性があり，認知的にも非常に学習しやすい構造となっている。このような場合，外界に存在する自然な区分それ自体がことばの学習の制約として働き，区分ひとつひとつに子どもがラベルを対応づけていくように外界が「招いている」，と考えてもよいのではないだろうか。

内的制約の比重が高くなる場合

しかし，人間のことばが対応する概念は，すべて自然界の基礎レベルカテゴリーのように認知的顕現性が高いわけではない。知覚できない抽象概念や事物と事物の関係なども，ことばによってラベルづけられる。このような抽象概念や関係などを言語的に表わす場合には，文法レベル，語彙レベル両方で，異なる言語の間での相違が大きくなる（Bowerman, 1985, 1989; Gentner, 1982; Talmy, 1983）。

ここで，一例として，空間上での事物と事物の関係を言語的に表現する場合を考えてみよう。これは，ある意味では空間上に無限にある事物同士の位置関係を，非常に限られた数のことば，たとえば日本語なら「上」「下」「右」「左」「前」

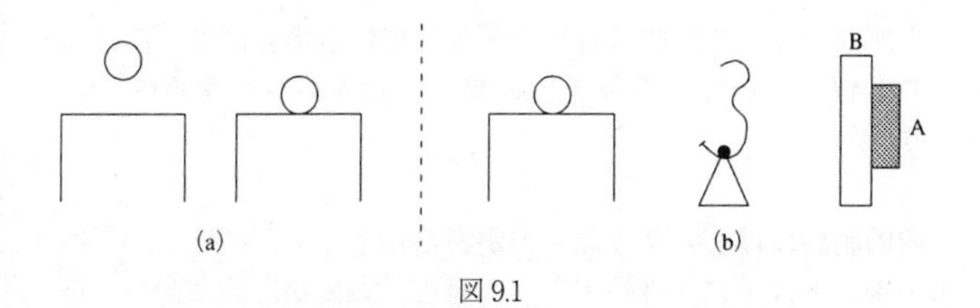

図 9.1

「後ろ」「中」などのことばのカテゴリーの中に分類しているわけである。このような抽象度の高い領域での分類は，ひとつの言語内でのカテゴリーとカテゴリーの間の境界も非常に曖昧である（Imai, 1997；中西・長谷川・山本・今井・石崎，1995）。たとえば，空間上のどこからどこまでが「右」の範囲でどこからが「前」になるのかの境界線をはっきり引くことは難しい。さらに，異なった言語の間で，空間関係を区分してことばに対応させていく基準にも非常に大きな違いがみられる（Bowerman, 1989; Lakoff, 1987; Brugman, 1983, 1984）。

図 9.1（a）で表わされる2つの事物の空間関係は，日本語ではともに「上」ということばのカテゴリーに属する関係であるが，英語の場合には“on”と“above”という明らかに異なったカテゴリーに属する。これに対して図 9.1（b）で表わされた関係は，英語ではすべて“on”というひとつのカテゴリーに属する関係だが，日本語ではこれらを同じ言語表現で表わすことはできない。これは，日本語の「上」「下」という意味カテゴリーが主に参照点に対しての水平関係のみを基準とするのに対し，英語では事物の間の接触・支持関係が重要な意味基準になっているからである（Herskovits, 1986）。

このように，外界それ自体が自明なまとまりを提示せず，人間がかなり恣意的に外界を区分している場合には，ことばの学習において内的な制約の果たす役割の比重が増すだろう。

内的制約にはどのようなものがあるか？

モルトは単に「外的制約」に対し，人間が内的に持つ「枠組み」あるいは「素朴理論」を「内的制約」として考えた。しかし，筆者は，ことばの学習のメカニズムを考える際には「内的制約」を少なくとも3つの種類の内的制約に分けて考えるべきであると思う。ひとつは，ことばの意味付与に関する素朴理論，つまり語意学習制約である。もうひとつは第2章で紹介したような，概念自体に関する子どもの持つ素朴理論である。さらにもうひとつ，以上の2つと区別して考えたい(1) のが文法カテゴリーと意味カテゴリーがどのように対応するかに関する知識である(2)。前に何度か述べたが，ここでいう「制約」は必ずしも生得的な意味での「制約」ではなく，問題探索の範囲を狭め，吟味しなければならない可能性を狭めるのに役立つ要因という意味で用いている。

以下では，この3つの内的制約と外的制約のダイナミックな相互作用を，今井とゲントナー（Imai & Gentner, 1994, 1997）のデータを紹介しながら考えていこうと思う。しかし，その前に今井とゲントナーの研究の背景となった，日本語と英語での名詞を分類する文法カテゴリーの言語学的，および認知的役割の違いについて説明しなければならない。

9.3 助数詞文法と可算，不可算文法の作る言語的カテゴリーの違い

第７章では，日本語の助数詞は，名詞を各々の助数詞クラスという文法カテゴリーにクラス分けする働きを持つと述べた。実は英語でも助数詞と同様に名詞を分類する文法クラスがある。可算名詞（count noun），不可算名詞（mass noun）のクラス分けである。しかし，英語での名詞を可算，不可算の文法クラスに分類するシステムと，日本語で名詞を助数詞クラスに分類するシステムとは，理論的に，非常に異なる言語的役割を持つ。

ここで助数詞の機能をもう一度考えてみよう。助数詞は「数詞を助ける」，という名前が示すとおり，数を表わすときに使うことばで，正確には，ものを数量で表わすときの単位を与える役目をする。一番わかりやすいのは，水を「一杯」とか塩を「一匙」などというときの，「杯」や「匙」である。この機能は英語にももちろんあり，“two glasses of water”，“a spoonful of salt” などのように，“glass” や “spoon” を数量化の単位として用いることによって，水や塩を数量化する。ただし，日本語の助数詞システムで重要なことは，助数詞が水や塩などの形を持たない，もともと外的な単位を与えなければ数量化の仕様がないものに対してのみでなく，人，動物，車，コンピュータなど数える単位が明らかなもの，つまりそれ自身存在論的に個別化された存在に対しても適用されることである。これがどのような意味を持つかというと，純粋に文法的な観点からみれば，日本語などの助数詞言語

は，世の中に存在する事物を先行的（アプリオリ）に数える単位があるものとして扱わないということである。こうしたことからすると，日本語では具象物，抽象物を含めたすべての「もの」を英語の不可算名詞のクラスに属するもののように扱っていると考えられる。つまり，「もの」自身には個別性が無く，数量化される単位を持たないかのごとく扱い，数量化する必要がある文脈でその都度，数量の単位（ユニット）を明示するのである（Lucy, 1992）。

それに対し，英語の可算，不可算文法においては，世の中に存在するすべての事物や概念が，もともと個別化されており，それ自身が数量化の単位になり得るものと，もともと個別性がなく，それ自身では数量化される単位になり得ないもの，の2つのカテゴリーのどちらかに存在論的に属する，という考えを前提にしている。英語での“count-mass grammar”という名前自体，一方のカテゴリーが「数えられる」あるいは「数える単位となる」個体／個物のカテゴリー，他方がそれ自身個別性のない“mass”のカテゴリーであることを表わしている。たとえば，人間，動物，椅子，車などは存在論的に個別化されているとみなされ可算名詞として，また，水，粘土，砂などは，存在論的に個別化されていない，あるいは個体として考えることに意味がない不可算名詞として扱われる[3]。

このことから，英語と日本語では名詞で表わされる概念の文法的な分類の仕方が大きく異なっていることは明らかである。英語ではすべての概念を，先行的に個別化されているか否かで分類する。それに対し日本語ではそのような区別は少なくとも文法レベルではしない。人が認知的にどう受けとめるかは別にして，文法的には，日本語はすべての事物をそれ自身には個別化の単位がないものとして扱い，すべてを不可算名詞のカテゴリーに入れたうえで，さらに形，サイズ，機能，生物上の分類などが複雑に入り交じった基準で名詞を分類しているのである。

9.4 ことばの学習における内的制約と外的制約の相互作用を示す研究——今井とゲントナーの実験

今井とゲントナー（Imai & Gentner, 1994, 1997）は，このような日本語と英語の文法カテゴリーの違いが，果たして子どもの持つことばの意味付与の原理と「個別性」についての素朴理論に影響を及ぼすか否かという問題に取り組んだ。第7章で紹介した内田と今井（1993）の研究も同様の趣旨で行われたが，扱った事物はすべて典型的な物体，つまりそれ自身に個別性があることがはっきりしている事物であった。このように典型的な物体を対象領域にした場合には，名詞を分類する文法カテゴリーにおける大きな相違にもかかわらず，日本人の幼児もアメリカ人の幼児もことばの意味付与の原理において非常に類似した発達的変遷を示した。これに対して，これから紹介する今井とゲントナーの研究は事物全体・カテゴリーバイアス，あるいは形状類似バイアスの適用範囲を対象にしたものである。

第2章で紹介したソージャ達（Soja, Carey & Spelke, 1991）の研究を思い出してほしい。この研究で示されたことは，英語を母国語とする子ども達が，事物全体・カテゴリーバイアスをすべての未知の具体物に無制限に適用するのではなく，

「存在論的に正しい」対象にのみ適用した，ということであった。子どもは，ことばの学習の当初から，存在論的に個別性を持たない物質（substance）には，事物全体・カテゴリーバイアスを誤って適用することはなく，物質につけられたラベルについては物質の同一性に基づいて未知のラベルを拡張できる，というのがソージャ達の結論であった。

個別性に関する存在論的区分についての再考

ここでソージャ達が規定した「存在論的に正しい」という意味について少し深く考えてみたい。個別性に関する問題は西洋哲学では非常に重要な問題とされている（Hirsch, 1982; Quine, 1960, 1969, 1973; Ware, 1979; Wiggins, 1980）。これは，この問題が「同一性（identity）」の問題に深く関連しているからである。この議論については第2章でもふれたが，もう一度ここで考えてみよう。

「同一の人間」，というのはこの世で唯ひとりしか存在しない。非常に見かけが似ていて，全く区別がつかない双子の姉妹であっても，2人は「別の」人間である。では「同一のコップ」はどうだろう。この場合には，ある人がいつも使っている特定のコップ，つまりこの世にひとつだけの特定のコップという意味で使われる場合もあるし，「同じ種類のコップ」を指す場合もある。後者の場合，同一性の基準はその「コップ全体」の同一性であって，ある「コップA」と「コップAの持ち手」あるいは「コップAのかけら」は同一のものではない。しかし，「水」や「砂」などの「同一性」はどうだろう。この場合に「ある時空間上に唯ひとつしかない」という基準を適用することは意味がないだろう。たとえば，私たちは，２つのコップの中に入っている「水」を，片方に毒でも入っていない限り「別の水」とは考えないだろう。このように考えると，先行的（アプリオリ）に事物に個別性があるかどうかを区別する事は確かに大事なことである。ソージャ達は，もともと個別性のある事物，つまり物体（objects）につけられたことばと，個別性のない事物，つまり物質（substances）につけられたことばに意味を付与し，外延カテゴリーを形成する際に，アメリカ人の２歳児が両者をはっきりと区別し，さらに「存在論的に正しい」基準でラベルを拡張できることを示した。

ここで，先ほどの日本語と英語の文法カテゴリーのことをもう一度考えてみよう。英語の文法は，まさにこの個別性についての存在論的区別を文法上で具現している。それに対し，日本語では，この存在論的区別に対応する文法上のクラス分けが存在しない。この点で，文法カテゴリーの区別ができるようになる以前に，子どもは生得的に個物と物質の存在論的違いについての知識を持つというソージャ達の主張を実証するためには，英語を母国語とする子どもより，日本語を母国語とする子どもが被験者として適している。日本人の子どもを対象にした場合は，文法カテゴリーと意味カテゴリーの対応の知識が存在論的な知識に混合（confound）される可能性がないからである。

そこで，今井とゲントナーはソージャ達のパラダイムを用いて日本語を母国語とする日本人と，英語を母国語とするアメリカ人の２つの言語グループの比較をした。さらに，文法カテゴリーと意味カテゴリーの対応づけの知識がことばの学習における制約に影響を及ぼすとしたら，いつ頃からそれがみられるのかという問題意識から，ソージャ達が対象年齢とした２歳と２歳半に加えて，４歳と大人のグループを対象に加えた。

２つのカテゴリーの境界

この研究の第一義的な観点は，文法が名詞概念を分類する仕方が，ことばの学習の制約に影響を及ぼすか否かを検討することである。しかし，この問題はさらに２つの観点に分割して考えられるべきである。まず，第一の観点は先ほども述べたように，個別性に関する存在論的区別が文法カテゴリーに反映されていない日本語を母国語とする子どもでも，事物全体・カテゴリーバイアス／形状類似バイアスの適用を「存在論的に正しい」対象にのみ制限しているか，という問題である。

第二の観点は，もし第一の問題の答えがイエスであり，日本人の子どもでも存在論的区分の理解をことばの学習の制約に反映させている場合に，「個別性のある存在」と「個別性のない存在」の２つのカテゴリーの境界が同じであるかどうか，という問題である。第２章でもふれたように，「動物―非動物」，「生物―非生物」，「個別化された存在―個別性の無い存在」のような存在論的な区別は文化普遍的にあっても，その区別をどこでするか，つまりカテゴリーの区分の境界線をどこで引くかが異なる可能性もある（Hatano et al., 1993）。

ソージャ達は「存在論的に個別化された存在」を「知覚的にひとまとまりとして外界から区切られ，運動の際にひとまとまりとして動くもの」と定義した。この定義に従えば，「個別性のある存在」と「個別性のない存在」の２つのカテゴリーは明確に分割できるはずである。したがって，ソージャ達の研究の実験では，ロウやプラスターなどの固い素材で作られた単純な形をした実験刺激を「個別性のある物体(object)」として扱い，それに与えられたラベルは素材は違うが形が同じ選択刺激に適用された場合を「正解」と考えている。

しかし，私たちを取り巻く外の世界は，ソージャ達が考えるように理想的に二分割されているのだろうか？ 実際，英語でも，“dog”，“computer”，“car”，“cup” などが可算名詞のカテゴリーに，“water”，“sand” などが不可算名詞に属するのは明らかであるが，どうして “beans” と “rice”，“oats” と “wheat”，“spagetti” と “noodles” のように知覚的に非常に類似しているものが一方は可算，他方は不可算名詞として扱われているのか説明するのは容易でない(McCawley, 1975; Wierzbicka, 1988)。また，英語以外の可算と不可算の区別がある言語で，これらの事物がどちらのクラスに入れられるかも，言語によって異なる。これは，これらの事物を先行的に個別性のある存在かどうかを決定するのが知覚情報だけでは難しく，それらを「個」として扱う意味があるかどうかの文化的な価値観などでクラス分けが行われるからであろう(Wierzbicka, 1988; Wisniewski, Imai & Casey, 1996)。

このような観点から考えた場合，個別性に関する存在論的な区別は文化普遍的にあっても，典型的に個別性を持つ存在と典型的に「かたまり（“mass”）」として扱われる存在の中間にあるような事例をどちらのカテゴリーに入れるかの決定の際に，自分の母国語における文法カテゴリーがどのように名詞を分類するかの知識が影響を及ぼす可能性が考えられる。

今井とゲントナー実験の材料

今井とゲントナー（Imai & Gentner, 1994, 1997）はこの可能性を調べるため，物体（object）刺激と物質（substance）刺激の2種類の刺激タイプの対比のみだったソージャ達の実験デザインを拡張し，「典型的物体」，「無意味物体」，「物質」の3種類の刺激を用意した。「典型的物体」としては，ある程度複雑な形を持つと同時に機能性を持つような家庭用品，事務用品を4種類選んだ。その際，予備実験により日米の4歳以下の子どもがそれらの名前を知らないことを確認した。

「無意味物体」は，プラスティック粘土やロウなどの素材で作った単純な形で機能性のない物体4種類である。これは，ソージャ達の「物体とは知覚的にひとまとまりとして外界から区切られているもの」の定義に従い個別性のある「物体」として扱ったが，別の見方をすれば「粘土の塊」，「ロウの塊」とも考えられる。つまり堅固性があるが個別性のない物質が，たまたま知覚的に単純だがスムーズな形の塊として提示されている，と解釈できるような刺激である。この「無意味物体」タイプの刺激は，個別性という観点からみると，典型的な物体と典型的な物質の中間に位置づけられる。

「物質」タイプの刺激は堅固性のない物質4種類である。これらの物質は，特定な形に成形して提示するため，ハンドクリームや盆栽用の砂など，皿の上である程度は特定の形（たとえばS字形など）を保つことができるが，「無意味物

表 9.1　今井・ゲントナーの実験の材料

	標準刺激	形状同一刺激	素材同一刺激
複雑な本物オブジェクト	①透明プラスティッククリップ	アルミクリップ	透明プラスティックのかけら
	②白いプラスティックのTジョイント	銅のTジョイント	白いプラスティックのかけら
	③陶器のレモンしぼり	木のレモンしぼり	陶器のかけら
	④木の泡立て器	黒白のプラスティックの泡立て器	木のかけら
無意味オブジェクト	①コルク粘土でつくった三角すい	白いプラスティックの三角すい	コルク粘土のかたまり
	②発泡スチロールでできたUFO形	木でできたUFO形	発泡スチロールのかけら
	③スーパスカルピー*で作った赤い卵の半分形	灰色の発泡スチロールで作った卵の半分形	赤いスーパスカルピーのかけら
	④オレンジ色のろうの腎臓形	紫色の石膏の腎臓形	オレンジ色のろうのかけら
物質	①砂（S字形）	粒状ガラス(S字形)	砂の小山
	②泡状石鹼(9形に成形)	液状粘土(9形に成形)	泡状石鹼の小山
	③ハンドクリーム(コの字形)	整髪ジェル(コの字形)	ハンドクリームの小山
	④木くず(ガンマ形に成形)	皮を細く切った切りくず(ガンマ形に成形)	木くずの山

＊　スーパスカルピー：工芸用の粘土でオーブンで焼くと陶器のようになる。

体」を作った物質のように堅固性がないため，触れれば形が崩れてしまうものが選ばれた。「物質」刺激を単に山盛りにして提示するのではなく，特定の形に成形したのは，「物質」刺激の試行で子どもが物質の同一性に従ってラベルを拡張した場合，単に知覚的顕現性に基づいて反応するのではなく，「存在論的に正しい基準」を用いていることを示すためである。つまり，物質をゲシュタルト的におもしろい形にして，形が色や触感よりも顕現性が高くなるようにしたわけである。

陶器のレモンしぼり

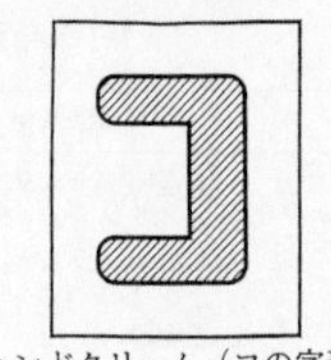

ハンドクリーム（コの字形）

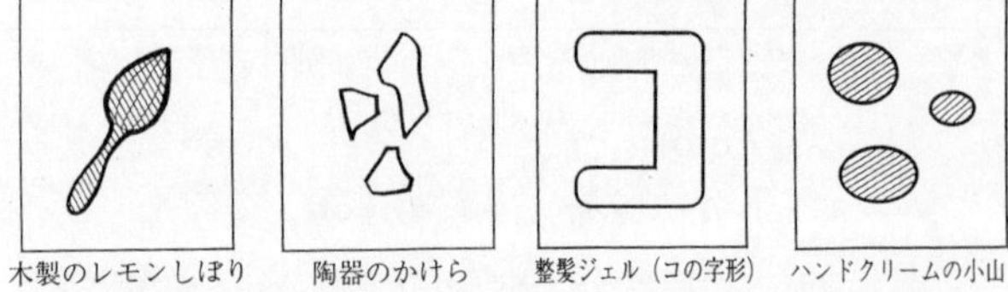

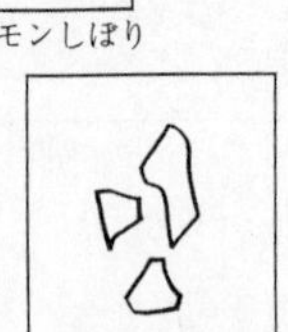

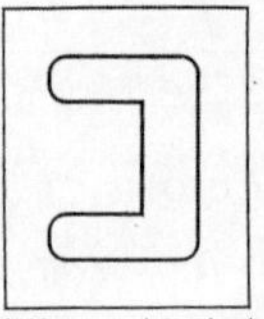

木製のレモンしぼり　陶器のかけら　整髪ジェル（コの字形）　ハンドクリームの小山

(a)　複雑な形をした本物の物体　(c)　特定の形に成形された物質

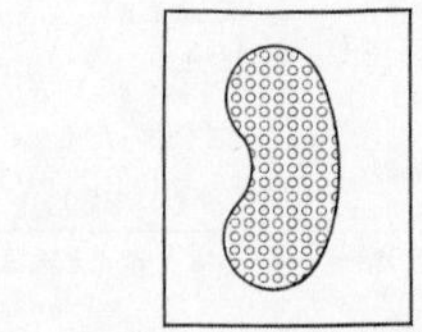

オレンジ色のろうの腎臓形

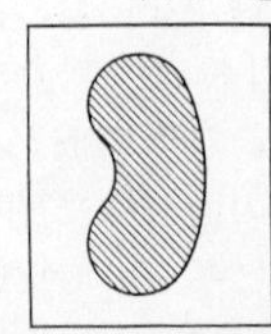

紫色の石膏の腎臓形

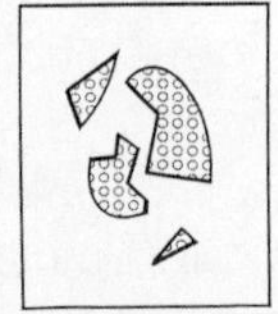

オレンジ色のろうのかけら

(b)　無意味物体

図 9.2　今井，ゲントナーの実験刺激例

3つの刺激タイプで各4種類ずつ，計12種類の刺激セットはそれぞれ，ラベルづけられる標準刺激と，2つの選択刺激から構成された。選択刺激のひとつは標準刺激と形が同じで異なる素材からできている形状刺激で，もうひとつは標準刺激の素材と同じ物質のかけら，あるいは塊である（図9.2(a)〜(c))。

手続き

被験者はアメリカ人，日本人とも2歳，2歳半，4歳，大人の4つの年齢グループで，子どもに関しては各言語の各年齢グループにつき15人ずつ，大人は18人である。

被験者は12種類の刺激セットをランダムな順で提示された。各セットの3つの刺激はそれぞれ別の発泡スチロールの皿の上に置かれた。実験者は，標準刺激に対し未知のナンセンス語をラベルとして与える。その際，日本語では「このお皿を見て。これはマウディというの。今度はこの2つのお皿を見て。このうちのどちらのお皿にあるのがマウディだか教えて」と言う。「マウディ」が物体を指す名前なのか，それとも物質，素材を指す名前なのか，この日本語の教示ではわからないことに注目して欲しい。

アメリカ人被験者への英語の教示には，工夫をしてラベルが可算名詞か不可算名詞かがわからないようにした。普通では，物体の名前を教えるときは“Look! This is a *maudi*.”，物質の名前を教えるときは“Look! This is *maudi*.”のようにラベルが可算名詞か不可算名詞かが，文法的にわかる。しかし，ここでは，“Look at *this maudi*! Can you point to the tray that also has *the maudi*?”のように，“maudi”が可算，不可算のどちらとも解釈できるような言い方をした。つまり，英語でも日本語と同じように，教示からは名詞が指す「もの」の個別性がわからず，被験者が知覚情報を頼りにそれを推測するしかないようにしたわけである。

個別性に関する存在論的区別は普遍的か？

今井とゲントナーの実験の結果は，遅くても2歳になるまでには，子どもは言語普遍的に個別性に関する存在論的区別をし，その知識をことばの学習に適用していることを示すものであった。図9.2で示される，言語・年齢グループにおける「典型的物体」タイプと「物質」タイプの反応パターンでは，どちらの言語グループも一番年齢が低い2歳グループから大人まで，2つの刺激タイプでの反応がはっきりと区別されている。

個別性に関する区分の仕方の違い

日本人もアメリカ人も，2歳になったときにはすでに個別性についての存在論的な区分を理解していることが示された。しかし，同時にどこで「先行的個別性がある」クラスと「先行的個別性がない」クラスに分けるかにおいて，日米のグループの間で大きな違いがあり，また，その違いはもっとも年少の2歳児グループからすでに現われていた。先行的個別性の観点から「典型的物体」と「物質」の中間にある「無意味物体」の扱いが，日米の被験者の間で4つの年齢グループを通して大きく異なっていたのである。

アメリカ人のグループは2歳児から大人まで「無意味物体」をもともと個別性のある物体としてみなし，「典型的物体」の場合と同様に，それにつけられた未知のラベルを拡張するのに形状類似バイアスを適用した。それに対し，日本人の子どもは「無意味物体」に対しランダムな反応を示した。つまり，日本人の子どもは「典型的物体」はもともと個別性がある存在としてみなし，「物質」は個別性がない存在としてみなしたが，「無意味物体」に関しては，その中間，つまりどちらのクラスに入るのか，知覚情報だけでは決定できないものとみなしたと考えられる。さらに興味深いことに，「無意味物体」の扱いについての日米グループの違いが，大人になるとさらに顕著になり，はっきりと二極化した。アメリカ人の大人が，このタイプの刺激を「個別性のある物体」とみなしてラベルを拡張したのに対し，日本人の大人は明らかにラベルを「個別性のない物質名」と解釈する傾向を示したのである。

もうひとつ注目すべき点は，「物質」タイプ刺激での反応である。すべての年齢グループを通じて，両言語グループとも「物質」タイプ刺激の反応が「典型的物体」タイプ刺激での反応と大きく異なった点では，子どもも大人も存在論的区別を未知語の意味付与に反映させているといえる。しかし，日本人グループが一貫してこのタイプの刺激では形の類似性を無視して物質の同一性に着目した反応を示したのに対し，アメリカ人被験者は2歳児グループを除いたすべての年齢グループで反応がランダムであった。

今井とゲントナーの実験の結果をまとめると，個別性に関する存在論的区別が文法クラスとして言語的にはっきり示されていてもいなくても，子どもは2歳までには「先行的個別性のある存在」と「個別性のない存在」の2種類の存在論的クラスを区別し，それをことばの学習に用いていることがわかった。しかし，同時に，文法上での分類がクラス分けの境界線をどこに引くかに影響を与え，その影響は大人になるとさらに大きくなることもわかった。以下では，どうしてこのような言語による違いと発達的なパターンが見出されたのかを考えてみよう。

文法クラスの認知カテゴリーに及ぼす影響

まず最初に，「無意味物体」刺激における日米の大きな違いの理由について考えてみよう。ソージャ達はこのタイプの事物を当然のように「物体」として定義し，実際，彼女たちの被験者であるアメリカ人２歳児と２歳半児たちは，これらを「先行的個別性のある物体」とみなす反応を見せた。しかし，もしかしたらソージャ達の考え方はそれ自体，英語特有の分類の仕方を反映しているのではないだろうか。

英語の可算，不可算文法は，いかなる文脈で名詞が発話されても（特に，数量化の単位を示すことが重要であってもなくても）その名詞が可算クラスに属するか不可算クラスに属するかを決めることを話者に要求する。ネイティヴスピーカーはその決定をほとんどの場合，瞬時に，無意識に行う。ほとんどの場合，ネイティヴスピーカーは，コンピュータは可算クラス，水は不可算クラスというように，それぞれの名詞がどちらのクラスに所属するかを記憶に貯蔵しており，それを瞬時に引き出すだけでよいだろう。コンピュータ，車，水，砂などの典型的事例について，発話の度に毎回「個別性」の観点からチェックし，その場でクラス分けをするとは思えない。しかし，ネイティヴスピーカーは単に記憶に貯蔵されたものを無条件に引き出すだけではなく，可算，不可算のクラスの意味的基準についての知識も持っているはずである。だからこそ，未知物を見たときに，自発的にそのラベルが可算クラスか不可算クラスかを決めることができるし（Imai, 1995），また，抽象名詞を状況によって可算，不可算名詞として使い分けたり（たとえば *support*），特殊な状況では，たとえば普段は可算名詞である名詞を不可算名詞として用いたりすることができるのである（Allan, 1980）[4]。

英語では，このように，すべての発話状況において，個別性をめぐる決定を習慣的に無意識下で行うことを話者に要求する。しかも，その決定は，2つのクラスの境界に位置するような，知覚情報だけでは決定が難しい事例についても同様に行われなければならない。つまり，英語では曖昧な事例を曖昧なものとして扱うことは許されず，常にある文脈下でどちらかのクラスに入れなければならない。この言語的要求のため，英語のネイティヴスピーカーは，世界の事物を常に二分割されたカテゴリーのどちらかに帰属すると考え，簡単にそして即座に未知の事物の個別性を決定できるような認知的バイアスを発達させているのではないだろうか。そのバイアスというのが，物体を「知覚的にひとまとまりとして，外界から区切られているもの」とみなすことであるのかもしれない。

一方，日本語では先行的に事物の個別性を考える必要はなく，名詞を数量化する必要がある文脈においてのみ，助数詞によって数量の単位が与えられる。数量の単位も，英語のように先行的な個別性を問題にするのではなく，あくまで文脈上での数量の単位である[5]。また，数量化の単位が曖昧な場

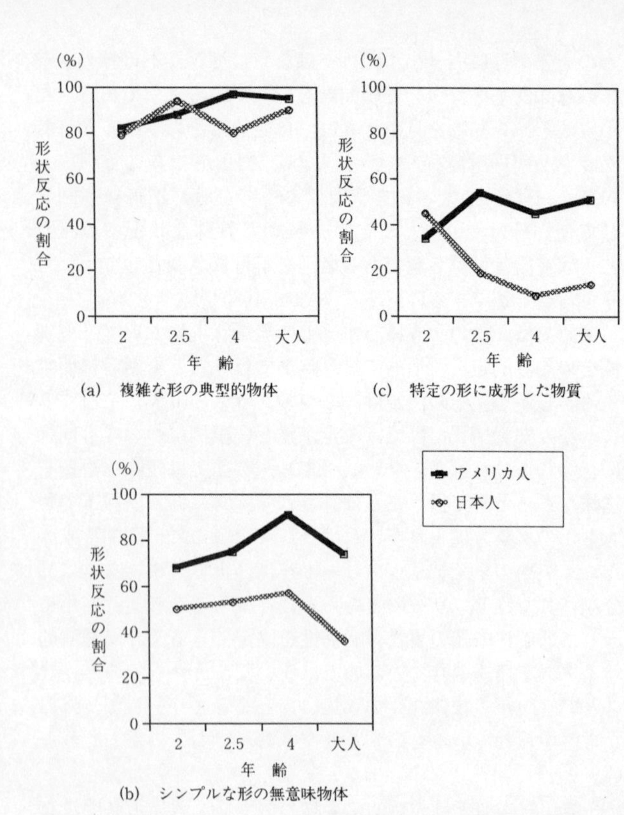

図 9.3　指示対象のタイプとラベル拡張パターンの相互作用：日本人とアメリカ人の比較

合，つまり名詞が文脈上でどの助数詞によって単位を表わすべきかわからない場合は，一般的な何でも屋の助数詞「つ」が用いられる。したがって，「もの」自身の先行的個別性に関しての知覚情報が弱いときには，それを曖昧なままにしておくことが許される。このため，日本人被験者は知覚的に「典型的物体」と「物質」の中間にある「無意味物体」をどちらかの存在論クラスに無理に入れることなく，どちらでもあり得る曖昧なものとしてみなしたため，反応がランダムになったのかもしれない。

さらに，なぜアメリカ人が「物質」タイプでの反応で日本人よりも高い形状反応を示したかを考えてみよう。これについて考えられる原因は，「物質」刺激が特定の，ゲシュタルト的におもしろい形に形成されて提示されたことである。文化人類学者ルシー（Lucy, 1992）は，個別性を知覚的に認識するには形状がもっとも役に立つ知覚属性である，という。そのため，個別性の観点から世界を二分割する英語などの言語のネイティヴスピーカーは，助数詞言語のネイティヴスピーカーよりも形状に選択的注意を向けるようになる，とルシーは主張するのである[6]。「物質」タイプの刺激群でアメリカ人が日本人より形状反応が高かったことは，ルシーの考えと一致するものである。アメリカ人は目の前にあるのが具体物であっても，文法上の分類に従って，単に「物体（objects）」と「物質（substances）」の区別をしているのではなくて，より抽象的な「個別性」という概念のレベルでの分類を考えるバイアスを持っているのかもしれない（P. Bloom, 1994）。したがって，砂やハンドクリームなどの，普段は容器の中に入れられていてそれ自体の恒常的な形を持たない物質がＳ字形などの特定の形状に提示されたとき，形状を個別性の指標として受け取り，ラベルを単に「クリームのような物質の名前」と受けとめる解釈と「Ｓ字形に成形されたものの名前」と受けとめる解釈の間で被験者が揺れたため，反応がランダムになったとも考えられる。

3つの内的制約の相互関係

最後に，前に挙げた3つの内的制約，つまり，

(1) 一般的にことばの学習の制約といわれている，ことばの意味付与に関する原理，
(2) 概念自体に関して子どもの持つ素朴理論，
(3) 母国語で文法カテゴリーと意味カテゴリーがどのように対応しているかに関する知識，

が今井とゲントナーのデータの上では，それぞれどのような役割を果たしているのかを考えてみよう。

(1)と(2)が相補的な関係にあることは既に述べた。ことばと外界を対応づけ，ことばに意味を付与するための制約のひとつである事物全体・カテゴリーバイアス／形状類似バイアスは，もともと個別性を持たないものには適用できない。個別性に関する存在論的知識は，したがって，事物全体・カテゴリーバイアスあるいは形状類似バイアスの適用範囲を「制約」し，それが適用できないときはどうしたらよいかについて，子どもを導くものである。

今井とゲントナーの結果における日米グループ間の相違を主に説明するのは，第三の文法—意味の間の対応についての

知識である。言語グループ間の相違を説明するのがなぜ内的制約なのか，むしろ言語インプットという外的制約ではないか，と考える人もいるかもしれない。確かに言語インプットそのものは子どもの外から中に入ってくるものである。しかし，言語インプットを分析し，名詞を分類する文法クラスの存在に気づき，どのような意味基準でそのクラス分けがなされるかというルールを作り出すのは子どもである。インプット言語の文法がどのように名詞を分類するかに従って，英語を母国語とする子どもは，すべての未知の名詞について先行的個別性の有無を決定しなければならないことを想定するし，日本語を母国語とする子どもは，そのような先行的個別性は特に考えず，数量化の必要があるときにのみ，助数詞が必要なことを学ぶ。

したがって，ここで考えられる図式は次のようになるだろう。一方で言語普遍的な内的制約がことばの学習を導く。子どもは，ことばは状況に独立した指示機能を持つ，ことばはたいてい複数の事物の集まりを指示する，ことばは連想関係などの恣意的な基準で拡張されない，などのことばの意味付与についての原則を，インプット言語にかかわらず知っている。また，個別性のある存在とない存在の存在論的違いを知っており，その知識をことばの学習に適用して，事物につけられたラベルがどのような基準で拡張されるかを制約する。しかし，他方で子どもは自分の母国語がどのように世界の事物をクラス分けしているかを学び，その言語特有の文法クラスと概念の対応の仕方を知識として内化する。そして今度はその知識がことばの学習に制約を与えるようになるのである。しかし，それは言語普遍的な制約を覆すほど強い形で現われるのではない。知覚情報が曖昧で，どちらの存在論的クラスに属するかの決定が難しい事例について，その決定に影響を与える程度で，ことばの学習を制約するのではないだろうか。

外的情報，知覚，内的制約

すでに述べたように，ことばの学習は，子どもが内的に持つことばの意味付与についての原則と，外から入ってくる情報の両方向からの力によって制約を受けている。外的情報は，もちろん，常に知覚システムのフィルターを通して入ってくる。しかし，ここで注意しなければならないのは，私たちの知覚システムは外界の情報をすべて生のまま通すのではなく，さまざまな側面でかなり選択的な重みづけを行い，その結果がインプットとして入ってくる，ということである。たとえば今井とゲントナーの結果は，文法クラスと意味の対応についての知識が，ある具体物の先行的個別性を判断するために用いる，知覚情報の重みづけに影響を与えることを示唆している。英語のネイティヴスピーカーは２歳のときからすでに，事物の堅固性，形状という２つの次元での知覚情報に日本語のネイティヴスピーカーよりも，重い比重をおいている。

知覚情報のどの側面にどのように選択的注意を向けるかの選択基準に影響を与えるのは，文法と意味の対応づけに関する知識だけではない。たとえば，第２章で紹介したスペルキー達の研究（Spelke, Phillips & Woodward, 1995）では，「事物の運動」というシーンに対して，運動の主体が人間か人工物かで，シーンの提供する知覚情報に対して乳児が異なった反応を示すことが示唆されている。特定の領域についての素朴理論が知覚を「制約」する場合もあるのである。

しかし，もちろん逆方向の影響，つまり知覚システムを通して入ってくる外界の情報が，人間のカテゴリー分類や概念理解（つまり領域知識）へ与える影響は，モルト（Malt, 1995）が指摘したように非常に大きい。内的制約は，外界における自然な区分が知覚的に曖昧性を含む場合に，知覚情報の特定な側面に注意を向けさせるが，外界からの情報が素朴理論に基づく予測と矛盾する場合は，人は自分の素朴理論を押し通すよりはそれを修正し，何とかその矛盾を解決しようとするだろう（R. Gelman, Durgin & Kaufman, 1995; S. Gelman & Medin, 1993）。ひと言で要約すれば，知覚は常に外界からの情報と内的制約による予測の均衡関係の上に成り立つものであり，また，知覚システムと内的制約は循環的に相互に影響を与えているのである。

注

(1) この3番目の制約，つまり文法カテゴリーと意味カテゴリーの対応づけについての知識が，1番目にあげた一般的な語意制約と別個に扱われるべきであるかどうかは，研究者によって意見が分かれるところである（P. Bloom, 1994; Gleitman, 1990; Markman, 1994; Pinker, 1994; Waxman, 1994）。たとえば，ブルーム（P. Bloom, 1994）は，文法カテゴリーと意味カテゴリーのマッピングの知識のみがことばの学習に唯一必要かつ生得的な制約で，事物全体・カテゴリーバイアスはその副産物に過ぎないと主張する。それに対しマークマン（Markman, 1994）は，事物全体・カテゴリーバイアスが先行し，文法カテゴリーと意味カテゴリーのマッピングの知識はことばの学習の当初ではなく，後から学習され，その後，事物全体・カテゴリーバイアスを適用できない場合にそれを抑制する情報として子どもが用いるもの，と反論している。ワクスマンとモルコウ（Waxman & Markow, 1995）は，生後12ヶ月の乳児に形容詞の文法フレームで与えた未知のことばが名詞の文法フレームで与えた場合と同様に事物カテゴリーへの注意を高めた，と報告しているが，これはマークマンの見解を支持するものである。筆者もこの点ではマークマンの見解に賛成なので，ここでは2つの制約を別個のものとして考える。

(2) 文法カテゴリーと意味カテゴリーのマッピングの知識に関してはいくつかのレベルがあり，また，言語普遍的なマッピングパターンと言語普遍的でないパターンがある。グローバルなレベルでは静的な事物が名詞クラスにマップされ，行為，活動，運動など時空間上でダイナミックな変化を伴う概念は動詞クラスに，属性は形容詞クラスに，というようなマッピングがある。この中で，事物と名詞クラスのマッピングは特に言語普遍性が高い（Comrie, 1981; Croft, 1990）。

より詳細なレベルでのマッピングでは，特定の意味コンポネントと動詞の句構造（argument-taking structures）の間のマッピング，つまりlinking ruleが言語普遍的に存在するか否かという議論が最近の言語学者の間で盛んに戦わされている（Levin & Rappaport-Hovav, 1995）。さらに，子どもがそのlinking ruleを生得的に持っていて，未知の動詞の学習の際に，その動詞の句構造を推測する制約として用いている，というピンカーの主張をめぐって（Pinker, 1987, 1989）大きな議論がある（Bowerman, 1990; Grimshaw, 1994）。

(3) 世の中のすべてのものは，存在論的に個別化された存在と個別化されない存在のカテゴリーのどちらかに属するというこの区分は，英語の文法では具体物のみならず，知覚的実体がない抽象概念にも適用される。その際には具体的には形がない概念それぞれに対し，物体のような「個物」とみるか，水などのような「非個物」とみなすかは，文化の中で人々の間で共有される潜在的，無意識的で，言語化が困難な「概念化システム（conceptualization systems）」によって決定されていると思われる（Whorf, 1956; Lakoff, 1987）。たとえば，ウィズニュースキー，今井，ケイシー（Wisniewski, Imai & Casey, 1996）は，英語の上位カテゴリーに可算名詞で表わされるものと不可算名詞で表わされるものがあり，その中にはカテゴリーメンバーを共有するケースがあることを指摘した。たとえば“wildlife”は“animal”に含まれるカテゴリーで，前者のカテゴリーメンバーはすべて後者に含まれる。しかし，前者は不可算名詞で，後者は可算名詞である。ウィズニュースキー達の実験では，英語を母国語とするアメリカ人大学生は，2つのカテゴリーを「個別性（individuality）」の点から区別し，“animal”のメンバーはそれぞれが個として意味があるが，“wildlife”のメンバーとして与えられた場合はそのメンバーを個別に考えることは意味がない，という認知的枠組みを示した。この結果は，英語のネイティヴスピーカーが，基礎レベルよりも抽象度の高いレベルでのカテゴリー分類行動に，文法上での存在論的区分を投影していることを示唆している。

(4) たとえば，“car”のように典型的な可算名詞でも，不可算名詞として使われることが可能である。以下の例では“car”が不可算名詞として使われている。“car”を不可算名詞として扱うことにより，車が原形をとどめず，個別性を失ってリサイクル用の金属の塊になっている様子が強調されているのである。

The scrapyard is full of *smashed car* awaiting recycling.（Allan, 1980, data (21), page 547）

(5) 英語がアプリオリな個別性を問題にしているのに対し，日本語は文脈上の数量の単位のみを問題にしていることは，たとえば「リンゴ1箱」と米1カップ，"a box of *apples*" と "a cup of *rice*" のような例を比較して考えるとわかりやすい。英語の場合は，"a cup of"，"a box of" などの量化詞は典型的には不可算名詞につくものであるが，"a box of apples" のように可算名詞の集まりを量化する場合もある。しかし，この場合のように，数える単位が個別のリンゴではなく「箱」であって，リンゴが何個あるかは問題でない場合も，"apple" を複数形で表現することによって，個別的存在であることが文法的に明示されている。それに対して，日本語では「リンゴ1箱」といったとき，リンゴ自体の個別性は言語的に表わされていない。「リンゴ1個」のときにはリンゴ自体が単位，「リンゴ1箱」のときには箱が数える単位として表わされるだけである。

(6) この考えはもちろん，言語決定論，いわゆるサピア・ワーフ仮説を強く擁護する考えである。

第10章　ことばと概念発達

10.1　ことばの学習のメカニズム

本書では，子どもがことばとその少数の指示対象を示されるだけで，ことばに意味を付与し，ことばと世界を対応づけ，カテゴリーと概念を学んでいくメカニズムについて考えてきた。そのメカニズムの中心的な役割を果たすものとして，本書で焦点を当てたのが，「制約理論」といわれる最近の考え方である。この考え方では，子どもは学習をゼロの状態から始めるのではなく，学習に先立って，概念はこれこれのように組織化されており，ことばの意味はこれこれのような原則で概念に対応するという知識を持っており，この知識に導かれて学習に臨むとする。したがって，子どもがことばを学習する際，哲学者クワインが心配するような，ことばと指示対象の対応づけにおける無限可能性の環に陥ることなく，積極的に，そしてほとんどの場合正しく，ことばに意味を付与していくことができる。そして，ことばの意味の内包の整合的表象がほとんどない状態でも，制約に導かれ，覚えたばかりのことばを他の事物に拡張することができる，と考えるのである。本書では，提唱されているいくつかの異なる制約の中で，もっとも研究者の注目を集め，また，認知発達，特にカテゴリーの学習と概念理解に深く関連していると思われる，事物カテゴリーバイアスを中心に据えて考えてきた。

一般的に発達を説明するうえで「制約」ということばを使うと，「生得的性質」が強く示唆される。ことばの学習における「制約」も例外ではなく，事物カテゴリーバイアスも一般的には生得的なバイアスとして考えられている。しかし，本書では「世界は整然と論理的に区分されており，ことばはその区分のひとつひとつである分類学的カテゴリーを指示するものである」という抽象的な命題が生得的に子どもに内在すると考える立場は取らなかった。むしろ，事物カテゴリーバイアスは，さまざまな外的要因と，類似性を認め，それをグループにまとめていくバイアスなどの一般的な認知的バイアスと，ことばを記号として扱い，一貫した方法でことばの意味を概念に対応づけようとするバイアスなどが相互に影響しあい，「育って」くるものだ，と考えた。

事物カテゴリーバイアス／形状類似バイアスの出現の仕方は，互いに構造が大きく異なる言語同士で非常に類似している。とりわけ重要なのは，子どもが発話する最初の数語では，ことばの適用制限が目立ち，それがなくなると，今度は過剰適用するようになり，過剰適用が少なくなる頃に，語彙が急激に増大し，特に具体的事物を指示する普通名詞が語彙に占める割合が急激に高くなることである。これが，いわゆるシステマティックなことばの意味付与行動の出現である。この段階では，子どもが未知のことばに意味を付与する基準は，多分に知覚類似性，特に形状の類似性に依存する。特に知覚属性と，機能性などの非知覚属性が切り離された場合，子どもは強く形状の類似性に注目し，形状類似性を基準にして未知のラベルを拡張する。

ラベル拡張における形状類似バイアスは，領域知識が精緻になるにつれて徐々に弱まり，カテゴリーにとって本質的な非知覚属性に基づいてラベルの外延カテゴリーが形成できるようになる。しかし，領域知識がかなり精緻になり，どうしてその非知覚属性のほうが形状類似性よりも大事なのかが，子どもなりに「納得」できない限りは，非知覚属性の存在を断片的に知っていても，子どもは形状類似バイアスに固執する。

以上のようなことばの意味付与の発達パターンはかなり言語普遍性が高いようである。子どもがことばの意味外延カテゴリーに関してはっきりした原則を持ち，文脈なしで自分の好きなように事物のグループを作る場合と，ラベルの外延カテゴリーを作る文脈の場合とでは，明らかに異なった分類行動をすること，また，ことばの意味付与の原則が形状類似バイアスから事物カテゴリーバイアスに変遷していくことは，英語圏の子どものほか，日本人の子どもでも確認されている。

しかし，異なる言語を母国語とする子どもたちが，具体的事物のカテゴリー名を学習していく過程で際立った類似性が見出される一方で，驚くほど早くから母国語の言語構造が影響を及ぼすことも本書ではみてきた。とりわけ興味深いのは，文法上での名詞概念の区分の仕方の違いが，言語グループ間の顕著な差となって現われるが，それは形状類似バイアスあるいは事物全体・カテゴリーバイアスの内容自体の違いとしてではなく，その適用範囲における違いとして現われることである。

したがって，本書の結論は次のようなものになるだろう。

子どものことばの学習，特にカテゴリー名の学習は一定の法則性，普遍性を持ちながらも，同時に言語構造や文化的な要因からの影響も非常に早くから受け，可変性をも併せ持つものである。そして，そのような言語・文化普遍性と可変性（言語・文化依存性）は無秩序な関係にあるのではなく，外界が人間の認知に訴えてくる知覚的顕現性と，人間が外界に対してあてはめようとする枠組みの双方の力のバランスがどこでとれるかで決まると考える。外界が提供する事物の自然のまとまりが知覚的に強く訴えてくる場合には，外界から大きく制約を受け，言語構造や文化的な要因の影響が少なくなる。他方，自然界の分割が認知的に強く訴えてこない場合，あるいは人間が独自の文化的価値でカテゴリーを作っていく場合には人間が外界をみる見方——内的制約——の役割の比重が高くなるのである。

ことばの発達の研究では，いまのところ，ことばの学習における普遍性を強調する立場，個人差を強調する立場，文化的影響を強調する立場，など多様な観点からバラバラにデータが報告されている。しかし，将来の研究の方向としては，子どもがことばを学んでいく過程で個人間あるいは言語・文化間の類似性と相違性の両方があることを前提として，どこで類似性が強調され，どこで言語・文化的要因が優勢になるかを見極めていくことが必要になるだろう。

10.2　ことばと概念発達

本書で論じたかったもうひとつの重要な点は，ことば，特に具体的な事物カテゴリーを指し示すラベルが，カテゴリーの形成とその概念的理解に果たす役割である。ラベルの存在が子どもに与えるものは，類似の事物のまとまりを「同種のもの」として認識させ，類似性を際立たせ，分析することを促すことであろう。第8章でも述べたように，生後3ヶ月の乳児でも外界にある事物の間の類似性を認め，グループ分けをすることができる。しかし，それにラベルを与えることによって，子どもは事物同士が「同じもの」であることをより強く意識し，共通の属性を積極的に探し，また，共通する属性，異なる属性を整合的に再組織化することによって，カテゴリーの理解を深めていくのである。

子どもは成長するにつれ，事物のクラス分けの仕方が一様でないことに気づく。特に幼児期には事物の連想的な関係に興味を示し，連想的な結びつきに基づいたカテゴリーを形成するようになる。ラベルの重要性はこの時期にさらに増す。ラベルの存在が，分類学的なカテゴリーへの興味，注意を保持し，これらのカテゴリーと連想的な結びつきによるカテゴリーとを区別して考えさせる役目を果たすのではないだろうか。

これは，属性の推論において大変重要なことである。というのは，分類学的なカテゴリーのもっとも重要な側面のひとつは，カテゴリーメンバー間でカテゴリーにとって重要な属性が共有されると想定され，そのことによってひとつの事例について学んだ属性が他のメンバーにも投影され，般化されることだからである。しかし，この属性の帰納的投影は，連想的結びつきによるカテゴリーのメンバーには適用できない。たとえば，イヌとオオカミの間には多くの知覚的，非知覚的な属性が共有されているし，イヌが持つXという内的属性はオオカミにも共有されているだろうと推論することは意味がある。しかし,「イヌに関係があるもののカテゴリー」のメンバー,つまりイヌと犬小屋,骨,首輪などの間で属性を投影しても全く無意味であるし,ほとんどの場合,推論の結果は誤りとなる。ラベルが類似した事物のカテゴリーに対応すると想定するバイアスにより,子どもは分類学的カテゴリーと連想的なカテゴリーを区別でき,それによって帰納的投影をするべきカテゴリーとするべきでないカテゴリーを区別することができるのではないだろうか。

本書を通じて,ことばの学習と,カテゴリーや概念の学習は互いに密接に関係し,循環的に作用しながら,互いに発達していくものであることを強調してきた。子どもが日常生活の中で日々遭遇する未知のことばにどのように意味を付与していくかは,子どもが何を基準に事物間の類似性を見出しているかという,非言語領域での「類似性」の概念に大きく依存する。また,その「類似性」の概念は領域知識に大きく依存し,知識が少なく,密で精緻な因果関係に支えられた表象がない分野では,子どもは知覚類似性に頼らざるを得ない。他方,精緻化された知識を持つ分野では類似性の基準が知覚類似性から,概念の本質あるいは因果関係の中心となる属性へ移るであろう。しかし,その一方で,積極的に事物にラベルをつけ,カテゴリーを形成していく行為そのものが,事物の間の類似性の発見を促し,領域知識を深め,類似性の概念を発達させることに貢献しているのである。

ちくま学芸文庫版あとがき

本書は私の初の著作であり，研究の原点である。1997年に出版された。今から30年ほど前である。本書を執筆した当時はアメリカのノースウエスタン大学で博士課程の研究を終え，慶応大学SFCに助手として就職したばかりだった。助手にはスーパーバイザーがつくことになっていて，認知科学会の立ち上げに貢献し，学会誌「認知科学」の初代編集長に就任された石崎俊先生が私のアドバイザーとなってくださった。石崎先生は，長い間アメリカにいて，浦島太郎状態で帰国してどのように日本の学界とつながり活動をしていくのかわかっていないかった私を温かくサポートしてくださった。日本認知科学会自体がまだ若く，これまでの既存の学問の垣根を越えた新しい学問を展開しようという熱気を帯びていた。そんな空気の中で，若手研究者のサポートのために，「認知科学モノグラフ」というシリーズを企画し，石崎先生がそこで単著で博士論文を中心にした一冊を書くように勧めてくださり，本書の執筆をすることになったのであった。

どのような学術分野でも同じであると思うが，駆け出しの研究者がまったく新しい問題意識で新たなパラダイムを打ち出すことは（皆無とは言わないが）めったにない。ことばについてずっと関心があり，人がどのようにことばの意味を理解しているのかや，どのようにことばを覚え，語彙を作っていくのかを知りたいと思っていたので，私も語彙発達やことばの意味を人がどのように表象しているのかという問題に関する言語学，言語心理学，哲学の文献を読み漁ることに多くの時間を費やしていた。

1997年に書いた「はじめに」で述べたように，当時はチョムスキーの生成文法理論が言語学界隈の主流になっており，語彙の分野でもチョムスキーの考えと軌を一にして，子どもが生得的にもっている制約が語彙習得を可能にするという「制約理論」が大きな脚光を浴びていた。このような理論にわくわくし，大きな興味をもちながらも，一方で，有名な論文がすべて英語を対象とし，英語について言えることは他のすべての言語で言えるということを当たり前のこととしていたことに，ほんとうにそうなのだろうか，と考えていた。しかし当時は，言語によって思考のしかたがちがうと考える「言語相対性説（ワーフ仮説）」は「くだらない，取るに足らない」と考える研究者たちが多く，ワーフ仮説のことを学会などで会った著名な研究者に持ち出すと，言下に否定され，叱られたものだった。しかし，私はそれでも日本語を母語とする子どもがほんとうに英語母語の子どもとまったく同じ制約をもち，まったく同じ方略で言語を習得するのかは自分で実験で確かめなければと思った。

日本語は非常に面白い言語で，英語を中心に実験され，理論化された主張を再検討する材料をいろいろと与えてくれた。当時の語彙習得の研究では名詞学習を扱ったものがほとんどだったが，日本語のように主語や目的語を（相手がわかる場合には）敢えて文に入れない言語でどのように子どもが動詞の意味の推論をしているのかが気になり，現在東京大学で教授をされている針生悦子さんと動詞推論の研究を始めた。また，実験で訪問した保育園で保育士さんが非常に巧みにオノマトペを使って子どもの理解を促しているのを観察し，オノマトペに興味を持った。イギリスウォーリック大学の喜多壮太郎さんや名古屋大学の秋田喜美さんとの交流を通して，その興味はさらに，言語がどのように生まれるのか，言語は身体とどのようにつながっているのかという問題に発展していった。同時に，子どもは，ほとんど知識がない状態から言語という巨大で抽象的な記号体系にどう登っていけるのかという記号接地問題に取り組みたいと思うようになった。

このように，自分の日常的な経験で不思議だと思うことや，英語を外国語として学習する際に感じた違和感などを足掛かりに，一つ一つの実験を考えていった。それがある程度蓄積されていくと，そこから人間はどのように学ぶのか，そこにおいて言語はどのような役割を果たすのか，さらに我々の祖先である動物種はもたない言語という道具を，人間はなぜ持ちえたのか，それはどのような思考の仕方に由来するのか，という大きな問に発展していった。本書で紹介している初期の研究は，欧米の研究者たちによる英語中心の理論への違和感を自分なりになんとか理解し，主流の理論と違和感の間の食い違いを何とか説明できて英語以外の言語も包括した，より普遍的な言語習得理論を提案できないか，という自分なりのあがきの中で行われたものである。

その後，語彙習得理論の分野自体が，私の感じた違和感に呼応するかの如く，英語中心主義から脱却し多言語で現象を検討しはじめて，言語相対説を再評価する動きが生まれた。また言語が身体に由来し，身体につながっていることを示す研究も言語心理学や脳神経科学の分野から報告されるようになった。その意味では，語彙習得理論が向かうべき方向性について私が1997年当時に感じていた直観はあながち間違っていなかったのかもしれない。本書以降の私の研究の展開は「言葉をおぼえるしくみ――母語から外国語まで」（針生悦子氏と共著，ちくま学芸文庫）と「言語の本質――ことばはどう生まれ，進化したか」（秋田喜美氏と共著，中公新書）にまとめたので，本書と合わせてお読みいただければ幸いである。また，本書が専門的すぎて読みにくい，もっと事前知識がなくても読める本をということなら，「ことばの発達の謎を解く」（ちくまプリマー新書）がおすすめである。

「はじめに」にも記したように，1997年当時，まだ駆け出しの研究者だった私を多くの先輩たちがサポートしてくださった。その後も多くの共同研究者や研究室の学生さん，スタッフのみなさんに支えていただいている。本書で報告した語意推論や概念習得の基礎研究だけでなく，2017年からは，幼児から中学生までの学習の困難の原因をつきとめ，解きほぐすための活動も行っていて，基礎研究と教育・学習支援の研究が研究室の研究の両輪になっている。それをサポートし，いっしょに進めてくださっている方々，特に調査に協力してくださっている保育園の関係者の方々や自治体の教育委員会，学校の先生方，児童生徒たちにはほんとうに感謝の気持ちでいっぱいだ。

最後に，本書の当時の担当編集委員として様々に助言をくださった鈴木宏昭氏についてひとこと述べさせていただきたい。鈴木氏は日本における思考研究の第一人者だったが，昨年（2023年3月）に急逝された。鈴木さんはちょっと年上の先輩なのだが，私よりずっと早く認知科学者としてキャリアを確立されており，本書の執筆をしているころにはすでに認知科学や心理学の界隈で注目を集めるどころか中心的な存在だった。その鈴木さんが本書の担当編集委員になってくださるということで，どんなに厳しいコメントをされるのだろうと，とても怖く，緊張して，こわごわ草稿を提出した。それを読んだ鈴木さんが「すごい，発達心理学はこんなに進化していたのか」と評価してくださったことは，私のこれまでの研究キャリアの中で５本の指に入るほど思い出深い，うれしい出来事だった。私は語彙発達の研究をしていて，一般的には「思考研究者」ではないと思われるだろうが，本書や，以降の著作を読んでいただくと私の研究の中心には常に思考，推論の問題が存在していることがおわかりいただけると思う。こういうとおこがましいが，私にとって鈴木さんはコワイ先輩であると同時に切磋琢磨するライバルのような存在で，常に鈴木さんの研究や著書には注目してきた。鈴木さんの急逝はほんとうにショックで残念である。心よりご冥福をお祈りしたい。

本書は1997年に共立出版より出版され，その後しばらく絶版になっていたが，ちくま学芸文庫として復刻することができた。復刻を企画し，以前の版を丁寧にチェックしアップデートしてくださった担当編集の藤岡泰介さんに心よりお礼を申し上げる。

解説　ことばの習得研究はどこからきてどこへいくのか

佐治伸郎

本書は認知科学，発達心理学において長年にわたり研究分野をリードしてきた研究者である今井むつみ氏の最初の著作である。本書は一般の読者向けというよりどちらかといえば研究者向けの専門書という色合いが強く，その内容は1997年当時の言語習得に関する最新の研究成果を取り上げ批判的に検討，今井氏独自の視点から言語習得研究の諸問題について論じたものである。経験科学における研究は常に新しいものが古いものを上書きしていくものであるから，研究書に関してもより新しいもののほうの価値が高いとみられるのが一般的だろう。しかし，改めて本書の内容を振り返ると，その随所に出版後30年の間にこの研究分野が取り組むことになる問題の本質的なエッセンスが詰め込まれていることに気づく。過去に何が問題とされ，それが問われる中でどのようにして現在の問題が生まれたかを知ることは，これから問われるべき未来の問題を考える上で重要だろう。本解説では，本書が執筆された当時の研究史的背景や，その2024年現在における意義を考察しながら本書の内容を眺めてみたい。

本書のタイトルにある「パラドックス」を日本語に直訳すれば矛盾である。辞書的には，前提となる条件が満たされていれば帰結するはずの結論に，なぜかたどりつかないという問題である。日常的にはそれほど頻繁に耳にすることばではないが，認知科学分野の研究にはよくこの「パラドックス」が登場する。というのも，人間の心のはたらきが経験から学習されたものというだけでは説明できないという「パラドックス」を解決することが認知科学の一つのミッションであったからだ。よく知られているように，認知科学以前の心理学の主たるアプローチは，人間の心のはたらきを環境から与えられる刺激に適応し，行動形成する過程と捉えるものであった。しかし，このような経験論で捉えられる心のはたらきには限界がある。特に言語の問題はその最たる例であると考えられていた。つまり，養育者からの声かけを模倣することによってことばが習得されるとするならば，説明がつかないほど私たちの持つことばの知識はあまりにも抽象的で複雑なのである。このような問題に対して，認知科学は心を情報処理の計算プロセスとして捉えるという新たな前提を据えて応えようとした。人間には情報処理システムとして心が備わっており，これが外界からの入力を効果的に計算・処理することによって，パラドックスが生じない学習を可能にするのだと。今日コンピュータ・アナロジーと言われるこのアプローチは，1960年代から1970年代の認知科学において，言語，推論や記憶など，多くの心の働きを解き明かすのに成功した。

本書の議論のスタートとなることばの学習の「パラドックス」は正に，この認知科学の主流とも言える問題設定からスタートしている。子どもが経験からことばの意味の推論をする場合，そのことばが参照する対象の可能性があまりにも開かれすぎていること。もし子どもがことばの内包的意味についてゼロからことばの意味を習得していくとするならば，子どもが外延を適切に推論できないはずだということ。これらはいずれも経験論の限界を示している。そしてこの「パラドックス」を解消するための合理的前提として，研究者たちは「制約」を想定したのである。特に1990年代当時は，心理学における計測技術の向上から乳幼児の驚くべき認知能力が次々と明らかになっていったという背景もあり，この制約のアイデアは多くの認知科学者，心理学者に積極的に受け入れられた。本書の序章，第2章，第3章の制約を巡る議論では，当時の研究者達の熱量を持った研究の数々が，正にその渦中に学生時代を過ごした著者の視点で描かれている。

しかし，本書は単に当時流行の各種の制約の紹介を行うという凡庸な内容ではない。本書が現在から見ても非常に斬新であるのは，制約理論を先に進め，さらにその先にある新たな「パラドックス」を問題にする点である。経験論への対案として生まれた制約理論であるが，実は制約理論を前提とした時，今度は制約理論の予測とは食い違った経験的事実が浮かび上がる。ここではその主要なものを二つ挙げてみよう。第一に意味の推論基準の多様性の問題である。もし，子どもが特定の制約に従ってしか意味推論しないことを想像してみよう。すると，その子どもはいつまでたっても同じタイプの意味しか見出すことができないことになってしまう。例えば「形バイアス」に則った推論しかしない子どもは，同じ形をした対象にしか意味のカテゴリーを汎用できないことになるだろう。しかし実際には，子どもは経験を重ねるにつれ，実に様々な観点から柔軟にカテゴリーを構築することができるようになるのだ。これは制約理論が生んだ新たなパラドックスである。第二に，言語の多様性の問題である。制約理論は経験によらずに学習方略を示すものであるため，当初からその生得性を想定する研究者も少なくなかった。しかし，カテゴリー化の基準は個別言語によって大きく異なる。特定の制約はある言語の習得を助けるかもしれないが，別の言語の習得をむしろ阻害するかもしれないのだ。すると制約は言語の多様性をどのように説明できるのかという新たなパラドックスが生まれる。

この二つの問題は，制約は発達の過程で状況や言語に合わせて柔軟にコントロールされなければならないという一つの仮説へと結びつく。今井氏は巧みな実験でこのメカニズムを明らかにしていく。本書の第4章から6章では，形を含む知覚的類似性を足場としながら，より抽象的な分類学的カテゴリーを構築していくブートストラッピング・モデルが示される。また第7章から第9章では，意味推論において制約のみが特権的な地位を持つのではなく，子どもが，環境にある外的制約と内的制約との間に折り合いをつけるようになる過程を日本語，英語を母語とする子どもを対象とした実験で明らかにしていく。

このようなアプローチは，今日から振り返れば，その後生み出された認知科学の新しい潮流を予見したものであったように見える。というのも，コンピュータ・アナロジーのもと人間の心のはたらきを次々と解き明かしてきた認知科学ではあったが，1980年代から1990年代にかけ研究者たちはこの方法に限界も感じ始めていた。古典的な情報処理，計算論のアプローチでは，人間の心のはたらきを十分に捉えられないのではないかという研究者たちの懸念は，実際に1990年代に幾つかの新しいアプローチの形をとって表れ始めたのである。推論や言語などの人間の高次認知は知覚や情動など感覚運動情報の観点から捉えなければならないと考える身体論（embodied cognition）や，心は内的な計算論だけでなく他者やモノとの相互関係から捉えなければならないと考える状況論（situated learning theory）はその代表的なものであり，今日の認知科学の一翼を担う基幹プログラムとなっている。今井氏の諸研究もこれらの研究と軌を同じくし，制約理論からスタートしつつもその古典的な計算論としての前提を疑う。身体を通じて得られる知覚的類似性や，社会や環境から与えられる外的制約など，人間を取り巻くより多様な文脈と制約理論との関係を「どちらが正しいか」でなく，「どういうときにどちらが正しいか」（本書「はじめに」より）という視点から再検討したのである。このような問題の捉え方は，認知科学におけることばの習得研究の進むべき新しい道を指し示すことになった。

実際に，今井氏はこの著書を出発点として，この書籍で打ち出された研究の方向性を後の30年でさらに深めている（2000年代以降の今井氏の研究に関する概説書としては今井むつみ・針生悦子『言葉をおぼえるしくみ』ちくま学芸文庫，2014に詳しい）。まず，ことばの意味の推論方略に関して，今井氏はそれまで制約理論では取り扱えなかった領域へと足を踏み出している。具体的には，それまでの制約理論が事物の名前，即ち一般名詞の意味に関する推論しか扱えなかったことを踏まえて，固有名詞や動詞，助数詞の意味を習得するために子どもがどのような手がかりを用いるのかを次々と明らかにしている。例えば子どもの動詞の意味推論を調査した一連の研究では，子どもは名詞のケースとは異なり，動作に最初から注目して意味を推論することが難しいことを明らかにした。具体的には，子どもは名づけの場面において当初は動作よりも定常的で変化の少ない性質を持つ事物へと注目しがちであり，次第により不安定な性質を持つ動作へ注目した意味推論へと移行することができるのである。更にその後の研究では，知覚的手がかりは定常性とはまた異なる形でことばの習得の大きな手がかりとなっていることも明らかにした。具体的には，「ばたばた」「ちょこちょこ」といったオノマトペのように，身体感覚に密接した響きを持つことばを用いることが，子どもが他のことばの意味を推論するのに大きな手がかりになることを発見したのである。この発見は音象徴ブートストラッピング仮説としてまとめられ，2010年代に学会を席巻した音象徴研究の嚆矢（こうし）となる重要な研究成果となった。このような研究の展開は，正に本書で示された知覚類似性に基づくブートストラッピング・モデルの延長線上にある議論といっても良いかもしれない。

では，知覚的に定常的な対象の性質や，身体感覚からスタートする言語の習得は，その後どのような過程を経て個別の言語体系の構築に至るのであろうか。今井氏の研究グループは，2010年代以降，子どもが個別言語の複雑な体系を習得していく過程についても精力的に調査を進めた。調査は日本語，中国語，オランダ語，英語など様々な言語や，移動動作や所持動作，色など様々な意味領域を対象として行われ，言語を通じた共通点，相違点などが議論された。一連の研究で明らかになったことは，どの領域においても確かにことばの習得は身体感覚からスタートする側面を持っていることであった。しかしそれはあくまでスタート地点であり，子どもは新しいことばと既知のことばの関係を整理，再構成することを何度も繰り返しながら次第にことば同士の関係を整理し，個別言語独自の体系を構築していくということもまた明らかになった。文化的，社会的環境からの働きかけは子どもが当該社会において何に注目すべきなのか子どもに促し，子どもが社会の一員となるのを助けるのである。

知覚・身体感覚を出発点として，複雑で抽象的なことばの体系へ。後に今井氏はこれを人間の記号接地問題として定義するが，その最も基本的な土台はすでにこの書籍の中で提示されていたのである。

（さじ・のぶろう　言語心理学）

参考文献

Allan, K. (1980) Nouns and countability. *Language*, **56**, 541-567.

Au, K. F., Dapretto, M. & Song, Y. K. (1994) Input vs. constraints: Early word acquisition in Korean and English. *Journal of Memory and Language*, **33**, 567-582.

Baillargeon, R. (1987) Object permanence in 3.½-and 4.½-month-old infants. *Developmental Psychology*, **23**, 655-664.

Baillargeon, R., Devos, J. & Graber, M. (1989) Location memory in 8-month-old infants in a non-search AB task: Further evidence. *Cognitive Development*, **4**, 345-367.

Baldwin, D. A. (1991) Infants' contribution to the achievement of joint reference. *Child Development*, **62**, 875-890.

Baldwin, D. A. (1992) Clarifying the role of shape in children's taxonomic assumption. *Journal of Experimental Child Psychology*, **54**, 392-416.

Barsalou, L. W. (1983) Ad hoc categories. *Memory & Cognition*, **11**, 211-227.

Barsalou, L. W. (1985) Ideals, central tendency, and frequency of instantiation as determinants of graded structure in categories. *Journal of Experimental*

Psychology: Learning, Memory, and Cognition, **11**, 629-654.

Barrett, M., Harris, M. & Chasin, J. (1991) Early lexical development and maternal speech: A comparison of children's initial and subsequent uses of words. *Journal of Child Language*, **18**, 21-40.

Berlin, B. (1972) Speculations on the growth of ethnobotanical nomenclature. *Language in Society*, **1**, 51-86.

Berlin, B. (1992) *Ethnobiological classification: Principles of categorization of plants and animals in traditional societies*. Princeton, NJ: Princeton University Press.

Bloom, L. M. (1973) *One word at a time: The use of single word utterances before syntax*. The Hague: Mouton.

Bloom, P. (1994) Possible names: The role of syntax-semantics mappings in the acquisition of nominals. *Lingua*, **92**, 297-329.

Bowerman, M. (1980) The structure and origin of semantic categories in the language learning child. In M. L. Foster & S. H. Brandes (Eds.), *Symbol as sense: New approaches to the analysis of meaning*. New York: Academic Press.

Bowerman, M. (1985) What shapes children's grammars? In D. I. Slobin (Ed.), *The crosslinguistic study of language acquisition*. Vol. 2: *Theoretical issues*. Hillsdale, NJ: Lawrence Erlbaum.

Bowerman, M. (1989) Learning a semantic system: What

role do cognitive predispositions play? In M. L. Rice & R. L. Schiefelbusch (Eds.), *The teachability of language*. Baltimore: Paul H. Brookes.

Bowerman, M. (1990) Mapping thematic roles onto syntactic functions: Are children helped by innate linking roles? *Journal of Linguistics*, **28**, 1253-89.

Brugman, C. (1983) The use of body-part terms as locatives in Chalcatongo Mixtec. *Report No. 4 of the survey of California and other Indian languages*. Berkeley: University of California.

Brugman, C. (1984) *Metaphor in the elaboration of grammatical categories in Mixtec*. Linguistics Department, Berkeley: University of California.

Bruner, J. S., Goodnow, J. J. & Austin, G. A. (1956) *A study of thinking*. New York: Wiley.（岸本弘他（訳）『思考の研究』. 明治図書.）

Bruner, J. S., Olver, R. R. & Greenfield, P. M. (1966) *Studies in cognitive growth*. New York: Wiley.（岡本夏木（訳）『認識能力の成長：認識研究センターの協同研究』. 明治図書.）

Carey, S. (1985) Constraints on semantic development. In J. Mehler & R. Fox (Eds.), *Neonate Cognition: Beyond the blooming, buzzing confusion*. Hillsdale, NJ: Lawrence Earlbaum.

Carey, S. (1985) *Conceptual change in childhood*. Cambridge, MA: MIT press.（小島康次, 小林好和（訳）『子どもは小さな科学者か：J. ピアジェ理論の再

考』．ミネルヴァ書房．）
Carey, S.（1994） Does learning a language require the child to reconceptualize the world? *Lingua*, **92**, 143-167.
Carey, S. & Bartlett, E.（1978） Acquiring a single new word. *Papers and Reports on Child Language Development*, **15**, 17-29.
Caselli, M. C., Bates, E., Casadio, P., Fenson, J., Fenson, L., Sanderl, L. & Weir, J.（1995） A cross-linguistic study of early lexical development. *Cognitive Development*, **10**, 159-199.
Chomsky, N.（1965） *Aspects of the theory of syntax*. Cambridge, MA: MIT Press.（安井稔（訳）『文法理論の諸相』．研究社出版．）
Chi, M. T. H.（1992） Conceptual change within and across ontological categories: Examples from learning and discovery in science. In R. N. Giere & H. Feigl (Eds.), *Cognitive models of science: Minnesota studies in the philosophy of science*. Minneapolis: University of Minnesota press.
Clark, E. V.（1987） The principle of contrast: A constraint on language acquisition. In B. MacWhinney (Ed.), *Mechanisms of language acquisition: The 20th annual Carnegie Symposium on Cognition*. Hillsdale, NJ: Erlbaum.
Clark, E. V.（1993） *The lexicon in acquisition*. Cambridge: Cambridge University Press.

Comrie, B. (1981) *Language universals and linguistic typology*. Chicago: The University of Chicago Press.

Croft, W. (1990) *Typology and universals*. Cambridge: Cambridge University Press.

Davidson, N. S. & Gelman, S. A. (1990) Inductions from novel categories: The role of language and conceptual structure. *Cognitive Development*, **5**, 151–176.

Denny, J. P. (1979) Semantic analysis of selected Japanese numeral classifiers for units. *Linguistics*, **17**, 317–335.

Downing, P. (1984) *Japanese numeral classifiers: A syntactic, semantic, and function profile*. Unpublished doctoral dissertation, University of California, Berkeley.

D'Entremont, B. & Dunham, P. J. (1992) The noun-category bias phenomenon in 3-year-olds: Taxonomic constraint or translation? *Cognitive Development*, **7**, 47–62.

Dromi, E. (1987) *Early lexical development*. Cambridge: Cambridge University Press.

Echols, C. H. (1990) An influence of labeling on infant's attention to objects and consistency: Implications for word-referent mappings. Paper presented at the International Conference of Infancy Studies, Montreal, Quebec, April.

Echols, C. H. (1991) Infant's attention to objects and consistency in linguistic and non-linguistic contexts. Paper presented at the Biennial Meeting of the Society for Research in Child Development, Seatle, WA, April.

Eimas, P. D. & Quinn, P. C. (1994) Studies on the formation of perceptually based basic-level categories in young infants. *Child Development*, **65**, 903-917.

Fernald, A. (1992) Human maternal vocalizations to infants as biologically relevant signals: An evolutionary perspective. In J. H. Barkow, L. Cosmides & E. J. Tooby (Eds.), *The adapted mind: Evolutionary psychology and the generation of culture*. Oxford: Oxford University Press.

Fodor, J. A. (1983) *The modularity of mind*. Cambridge, MA: MIT Press.（伊藤笏康，信原幸弘（訳）『精神のモジュール形式：人工知能と心の哲学』．産業図書．）

Gelman, R. (1990) First principles organize attention to and learning about relevant data: Number and the animate-inanimate distinction as examples. *Cognitive Science*, **14**, 79-106.

Gelman, R., Durgin, F. & Kaufman, L. (1995) Distinguishing between animates and inanimates: Not by motion alone. In D. Sperber, D. Premack & A. J. Premack (Eds.), *Causal cognition: A multidisciplinary debate*. New York: Oxford University Press.

Gelman, S. A. (1988) The development of induction within natural kind and artifact categories. *Cognitive Psychology*, **20**, 65-95.

Gelman, S. A. & Coley, J. D. (1990) The importance of knowing a dodo is a bird: Categories and inferences in two-year-old children. *Developmental Psychology*, **26**,

796-804.

Gelman, S. A. & Coley, J. D. (1991) Language and categorization: The acquisition of natural kind terms. In S. A. Gelman & J. P. Byrnes (Eds.), *Perspectives on language and thought: Interrelations in development.* Cambridge: Cambridge University Press.

Gelman, S. A., Coley, J. D. & Gottfried, G. M. (1994) Essentialist beliefs in children: The acquisition of concepts and theories. In L. A. Hirschfeld & S. A. Gelman (Eds.), *Mapping the mind: Domain specificity in cognition and culture.* Cambridge University Press.

Gelman, S. A., Collman, P. & Maccoby, E. E. (1986) Inferring properties from categories versus inferring categories from properties: The case of gender. *Child Development*, **57**, 396-404.

Gelman, S. A. & Markman, E. M. (1986) Categories and induction in young children. *Cognition*, **23**, 183-209.

Gelman, S. A. & Markman, E. M. (1987) Young children's inductions from natural kinds: The role of categories and appearances. *Child Development*, **58**, 1532-1541.

Gelman, S. A. & Medin, D. L. (1993) What's so essential about essentialism? A different perspective on the interaction of perception, language and conceptual knowledge. *Cognitive Development*, **8**, 157-167.

Gelman, S. A. & O'Reilly, A. W. (1988) Children's inductive inferences within superordinate categories: The role of language and category structure. *Child

Development, **59**, 876–887.

Gentner, D. (1978)　A study of early word meaning using artificial objects: What looks like a jiggy but acts like a zimbo? In J. Gardner (Ed.), *Reading in developmental psychology*. Boston, MA: Little, Brown and Company.

Gentner, D. (1982)　Why nouns are learned before verbs: Linguistic relativity versus natural partitioning. In S. A. Kuczaj II (Ed.), *Language development*: Vol. 2. *Language, thought, and culture*. Hillsdale, NJ: Erlbaum.

Gentner, D. (1988)　Metaphor as structure mapping: The relational shift. *Child Development*, **59**, 47–59.

Gentner, D. & Rattermann, M. (1991)　Language and the career of similarity. In S. A. Gelman & J. P. Byrnes (Eds.), *Perspectives on thought and language: Interrelations in development*. London: Cambridge University Perss.

Gleitman, L. (1990)　The structural sources of verb meanings. *Language Acquisition*, **1**, 3–55.

Golinkoff, R. M., Shuff-Bailey, M., Olguin, R. & Ruan, W. (1995)　Young children extend novel words at the basic level: Evidence for the principle of categorical scope. *Developmental Psychology*, **31**, 494–507.

Goodman, N. (1983)　*Fact, fiction, and forecast*. Cambridge, MA: Harvard University Press.（雨宮民雄（訳）『事実・虚構・予言』. 勁草書房.）

Gopnik, A. & Meltzoff, A. N. (1987)　The development of categorization in the second year and its relation to other cognitive and linguistic developments. *Child Development*, **58**, 1523-1531.

Gopnik, A. & Choi, S. (1990) Do linguistic differences lead to cognitive differences? A cross-linguistic study of semantic and cognitive development. *First Language*, **10**, 199-215.

Gopnik, A. & Choi, S. (1995) Names, relational words, and cognitive development in English and Korean speakers: Nouns are not always learned before verbs. In M. Tomasello & W. Merriman (Eds.), *Beyond names for things: Young children's acquisition of verbs*. Hillsdale, NJ: Erlbaum.

Grimshaw, J. (1994) Lexical reconciliation. *Lingua*, **92**, 411-430.

Hall, D. G. (1991) Acquiring proper nouns for familiar and unfamiliar animate objects: Two-year-olds' word-learning biases. *Child Development*, **62**, 1142-1154.

Hall, D. G. & Waxman, S. R. (1993) Assumptions about word meaning: Individuation and basic-level kinds. *Child Development*, **64**, 1550-1570.

針生悦子（1991）「幼児における事物名解釈方略の発達的検討――相互排他性と文脈の利用をめぐって」．教育心理学研究，**39**，11-20.

Hatano, G., Siegler, R. S., Richards, D. D., Inagaki, K., Stavy, R. & Wax, N. (1993) The development of biological knowledge: A multi-national study. *Cognitive Development*, **8**, 47-62.

Heibeck, T. H. & Markman, E. M. (1987) Word learning in children: An examination of fast mapping. *Child Development*, **58**, 1021-1034.

Herskovits, A. (1986) *Language and spatial cognition: An interdisciplinary study of the prepositions in English*. Cambridge: Cambridge University Press. (堂下修司, 西田豊明, 山田篤 (訳)『空間認知と言語理解』. オーム社.)

Hirsch, E. (1982) *The concept of identity*. Oxford: Oxford University Press.

Huntley-Fenner, G. & Carey, S. (1995, March) Individuation of objects and portions of non-solid substances: A pattern of success (objects) and failure (non-solid substances), Poster presented at SRCD, Indianapolis, IN.

Huntley-Fenner, G. & Carey, S. (1995) Physical reasoning in infancy: The representation of non-solid substances. Poster presented at SRCD, Indianapolis, IN.

Imai, M. (1994) *Evolution of young children's theories of word meanings: The role of shape similarity in early acquisition*. Ph. D thesis. Northwestern University. Evanston, Illinois.

Imai, M. (1995) Development of a bias toward language-specific categories. Paper presented at the Fourth International Cognitive Linguistic Conference. Albuquerque, New Mexico.

Imai, M. (1996) The asymmetry in the taxonomic

assumption: Word learning vs. property induction. Child Language Research Forum, **27**. Stanford University Press, 157–166.

Imai, M. (1997). The semantics of front/back/left/right: the determinants of the perspective system. In the Proceedings of IWHIT '97, 81–89. Edited by Human Interface Lab, University of Aizu.

Imai, M. & Gentner, D. (1994) Linguistic relativity vs. universal ontology: Cross-linguistic studies of the object/substance distinction. *Chicago Linguistic Society*, **29**, 171–186.

Imai, M. & Gentner, D. (1997) A cross-linguistic study of early word meaning: Universal ontology and linguistic influence. *Cognition*, **62**, 169–200.

Imai, M., Gentner, D. & Uchida, N. (1994) Children's theories of word meaning: The role of shape similarity in early acquisition. *Cognitive Development*, **9**, 45–75.

今井むつみ，内田伸子（1995）「幼児における名詞と助数詞の意味的制約」．日本教育心理学会第 37 回総会発表論文集，pp. 222.

稲垣佳世子（1995）「幼児の素朴生物学の獲得をめぐる研究の 10 年」児童心理学の進歩 **34**, 240–254，金子書房.

Inagaki, K. & Hatano, G. (1987) Young children's spontaneous personification as analogy. *Child Development*, **58**, 1013–1020.

Inhelder, B. & Piaget, J. (1958) *The growth of logical thinking from childhood to adolescence*. New York:

Basic Books.

Inhelder, B. & Piaget, J.（1964） *The early growth of logic in the child*. New York; NY: Norton Co.

岩淵悦太郎，波多野完治，内藤寿七郎，切替一郎，時実利彦（1968）『ことばの誕生：うぶ声から五才まで』．日本放送出版協会．

Jones, S. S. & Smith, L. B.（1993） The place of perception in children's concepts. *Cognitive Development*, **8**, 113-139.

Jones, S. S., Smith, L. B. & Landau, B.（1991） Object properties and knowledge in early lexical learning. *Child Development*, **62**, 499-516.

Jones, S. S., Smith, L. B., Landau, B. & Gershkoff-Stowe, L.（1992, October） The origins of the shape bias. Paper presented at the Boston Child Language Conference.

Katz, J. J. & Fodor, J. A.（1963） The structure of a semantic theory. *Language*, **39**, 170-210.

Keil, F. C.（1979） *Semantic and conceptual development: An ontological perspective*. Cambridge, MA: Harvard University Press.

Keil, F. C.（1981） Constraints on knowledge and cognitive development. *Psychological Review*, **88**, 197-227.

Keil, F. C.（1989） *Concepts, kinds, and cognitive development*. Cambridge, MA: MIT Press.

Keil, F. C.（1994） Explanation, association, and the acquisition of word meaning. *Lingua*, **92**, 169-196.

Keil, F. C. & Batterman, N.（1984） A characteristic-to-defining shift in the development of word meaning. *Journal of Verbal Learning and Verbal Behavior*, **23**, 221–236.

Kennedy, J. J. (1992) *Analyzing qualitative data: Log-Linear analysis for behavioral research*. New York: Praeger.

Kemler-Nelson, D. G. (1995) Principle-based inferences in young children's categorization: Revisiting the impact of function on the naming of artifacts. *Cognitive Development*, **10**, 347–380.

Kotovsky, L. & Gentner, D. (1994) Progressive alignment: A mechanism for the development of relational similarity. Unpublished manuscript.

Kuczaj II, S. A. (1990) Constraining constraint theories. *Cognitive Development*, **5**, 341–344.

Lakoff, G. (1987) *Women, fire, and dangerous things: What categories reveal about the mind*. Chicago: University of Chicago Press.

Landau, B., Smith, L. B. & Jones, S. S. (1988) The importance of shape in early lexical learning. *Cognitive Development*, **3**, 299–321.

Landau, B., Jones, S. S. & Smith, L. (1992) Perception, ontology, and naming in young children: Commentary on Soja, Carey, and Spelke. *Cognition*, **43**, 85–91.

Langacker, R. W. (1987) *Foundations of cognitive grammar*. Stanford: Stanford University Press.

Levin, B. & Rappaport-Hovav, M. (1995) *Unaccusativity:*

At the syntax-lexical semantic interface. Cambridge, MA: MIT Press.

Lewis, M. M. (1959) *How children learn to speak*. New York: Basic Books.

López, A., Gelman, S. A., Gutheil, G. & Smith, E. E. (1992) The development of category-based induction. *Child Development*, **63**, 1070–1090.

Lucy, J. (1992) *Grammatical categories and cognition: A case study of the linguistic relativity hypothesis*. Cambridge: Cambridge University Press.

Malt, B. C. (1995) Category coherence in cross-cultural perspective. *Cognitive Psychology*, **29**, 85–148.

Markman, E. M. (1987) How children constrain the possible meanings of words. In U. Neisser (Ed.), *Concepts and conceptual development: Ecological and intellectual factors in categorization*. Cambridge, MA: Cambridge University Press.

Markman, E. M. (1989) *Categorization and naming in children: Problems of induction*. Cambridge, MA: MIT Press, Bradford Books.

Markman, E. M. (1990) Constraints children place on word meanings. *Cognitive Science*, **14**, 57–77.

Markman, E. M. (1992) Constraints on word learning: Speculations about their nature, origins, and domain specificity. In M. R. Gunnar & M. P. Maratsos (Eds.), *Modularity and constraints in language and cognition: The Minnesota Symposia on Child Psychology*, **25**.

Hillsdale, NJ: Erlbaum.
Markman, E. M. (1994) Constraints on word meaning in early language acquisition. *Lingua*, **92**, 199–227.
Markman, E. M. & Hutchinson, J. E. (1984) Children's sensitivity to constraints on word meaning: Taxonomic versus thematic relations. *Cognitive Psychology*, **16**, 1–27.
Markman, E. M. & Wachtel, G. F. (1988) Children's use of mutual exclusivity to constrain the meanings of words. *Cognitive Psychology*, **20**, 121–157.
Massey, C. M. & Gelman, R. (1988) Preschooler's ability to decide whether a photographed unfamiliar object can move itself. *Developmental Psychology*, **24**, 307–317.
Matsumoto, Y. (1993) Japanese numeral classifiers: A study of semantic categories and lexical organization. *Linguistics*, **31**, 667–714.
McCawley, J. D. (1975) Lexicography and the Count-Mass distinction. *Berkeley Linguistic Society: Proceedings*, **1**, 314–321.
Medin, D. L. (1989) Concepts and conceptual structure. *American Psychologist*, **44**, 1469–1481.
Medin, D. L. & Ortony, A. (1989) Psychological essentialism. In S. Vosniadou & A. Ortony (Eds.), *Similarity and analogical reasoning*. New York: Cambridge University Press.
Mervis, C. B. (1984) Early lexical development: The contributions of mother and child. In C. Sophian (Ed.),

Origins of cognitive skills: The 18th annual Carnegie symposium on cognition. Hillsdale, NJ: Erlbaum.

Mervis, C. B. & Pani, J. R.（1980） Acquisition of basic object categories. *Cognitive Psychology*, **12**, 496-522.

Murphy, G. L. & Medin, D. L.（1985） The role of theories in conceptual coherence. *Psychological Review*, **92**, 289-316.

仲真紀子（1995）「2～4歳児と母親，大人他者と母親の対話にみられる助数詞の使用」．日本教育心理学会第37回総会発表論文集，p. 2157.

中西卓哉，長谷川修，山本和彦，今井むつみ，石崎俊（1995）「空間指示語と想起される認知領域の基礎的研究」．日本認知科学会第12回大会論文集，p. 80-81.

Nelson, K.（1988） Constraints on word learning? *Cognitive Development*, **3**, 221-246.

岡本夏木（1982）『子どもとことば』．岩波新書．

Okamoto, N.（1962） Verbalization process in infancy. *Psychologia*, **5**, 32-40.

Osherson, D. N., Smith, E. E., Wilkie, O., Lopez, A. & Shafir, E.（1990） Category-based induction. *Psychological Review*, **97**, 185-200.

Pinker, S.（1987） The bootstrapping problem in language acquisition. In B. MacWhinney（Ed.）, *Mechanisms of language acquisition*. Hillsdale, NJ: Erlbaum.

Pinker, S.（1989） *Learnability and cognition: The acquisition of argument structure*. Cambridge, MA: MIT Press.

Pinker, S.（1994） How could a child use verb syntax to learn verb semantics? *Lingua*, **92**, 377–410.

Putnam, H.（1975） *Mind, language & reality*. Cambridge: Cambridge University Press.

Quine, W. V.（1960） *Word and Object*. Cambridge, MA.: MIT Press.（大出晁，宮館恵（訳）『ことばと対象』. 勁草書房.）

Quine, W. V.（1969） *Ontological relativity and other essays*. New York: Columbia University Press.

Quine, W. V.（1973） *The roots of reference*. La Salle, IL: Open Court Press.

Quinn, P. C., Eimas, P. D. & Rosenkrantz, S. L.（1993） Evidence for representations of perceptually similar natural categories by 3-month-old and 4-month-old infants. *Perception*, **22**, 463–475.

Rosch, E.（1978） Principles of categorization. In E. Rosch & B. B. Lloyd（Eds.）, *Cognition and categorization*. Hillsdale, NJ: Erlbaum.

Rosch, E., Mervis, C. B., Gray, W. D., Johnson, D. M. & Boyes-Braem, P.（1976） Basic objects in natural categories. *Cognitive Psychology*, **8**, 382–439.

Smiley, S. S. & Brown, A. L.（1979） Conceptual preference for thematic or taxonomic relations: A nonmonotonic age trend from preschool to old age. *Journal of Experimental Child Psychology*, **28**, 249–257.

Smith, L. B.（1995） Self-organizing processes in learning to learn words: Development is not induction. In C. A.

Nelson (Ed.), *Basic and applied perspective on learning cognition, and development The Minnesota Symposia on Child Psychology*. Vol. 28.

Soja, N. N., Carey, S. & Spelke, E. S. (1991) Ontological categories guide young children's inductions of word meaning: Object terms and substance terms. *Cognition*, **38**, 179–211.

Soja, N. N., Carey, S. & Spelke, E. S. (1992) Discussion: Perception, ontology, and word meaning. *Cognition*, **45**, 101–107.

Sommers, F. (1963) Types and ontology. *Philosophical Review*, **72**, 327–363.

Spelke, E. S. (1990) Principles of object perception. *Cognitive Science*, **14**, 29–56.

Spelke, E. S. (1991) Physical knowledge in infancy: Reflections on Piaget's theory. In S. Carey & R. Gelman (Eds.), *The Epigenesis of Mind: Essays on Biology and Cognition*. Hillsdale, NJ: Lawrence Erlbaum.

Spelke, E. S., Phillips, A. & Woodward, A. L. (1995) Infants' knowledge of object motion and human action. In D. Sperber, D. Premack & A. J. Premack (Eds.), *Causal Cognition: A multidisciplinary debate*. New York: Oxford University Press.

Talmy, L. (1983) How language structures space. In H. Pick & L. Acredolo (Eds.), *Spatial orientation: Theory, research, and application*. New York: Plenum.

Tanaka, J. W. & Taylor, M. E. (1991) Object categories

and expertise: Is the basic level in the eye of the beholder? *Cognitive Psychology*, **23**, 457–482.

Taylor, M. E. & Gelman, S. A.（1989） Incorporating new words into the lexicon: Preliminary evidence for language hierarchies in two-year-old children. *Child Development*, **60**, 625–636.

Thelen, E. & Smith, L. B.（1994） *A dynamic system approach to the development of cognition and action.* London: MIT Press.

Tversky, B. & Hemenway, K.（1984） Objects, parts, and categories. *Journal of Experimental Psychology: General*, **113**, 169–193.

内田伸子，今井むつみ（1993）「語意獲得に制約を与えるカテゴリーバイアスの検討」．日本教育心理学会第 35 回総会発表論文集，p. 297.

内田伸子，今井むつみ（1996）「幼児期における助数詞の獲得過程」．教育心理学研究．**44**，126–135.

Vygotsky, L.（1962） *Thought and language*. Cambridge, MA: MIT Press.

Ware, R.（1979） Some bits and pieces. In F. Pelletier（Ed.）, *Mass terms: Some philosophical problems.* Dordrecht: Reidel.

Waxman, S. R.（1991） Convergences between semantic and conceptual organization in the preschool years. In J. Byrnes & S. Gelman（Eds.）, *Perspectives on language and thought: Interrelations in development.* Cambridge: Cambridge University Press.

Waxman, S. R. (1994) The development of an appreciation of specific linkages between linguistic and conceptual organization. *Lingua*, **92**, 229-257.

Waxman, S. R. & Gelman, R. (1986) Preschoolers' use of superordinate relations in classification and language. *Cognitive Development*, **1**, 139-156.

Waxman, S. R. & Kosowski, T. D. (1990) Nouns mark category relations: Toddlers' and preschoolers' word-learning biases. *Child Development*, **61**, 1461-1473.

Waxman, S. R. & Markow, D. B. (1995) Words as invitations to form categories: Evidence from 12-to 13-month-old infants. *Cognitive Psychology*, **29**, 257-302.

Waxman, S. R. & Senghas, A. (1992) Relations among word meanings in early lexical development. *Developmental Psychology*, **28**, 862-873.

Wierzbicka, A. (1988) *The semantics of grammar*. Amsterdam: John Benjamins.

Wiggins, D. (1980) *Sameness and substance*. Oxford: Basil Blackwell.

Winer, B. J., Brown, D. R. & Michels, K. M. (1991) *Statistical principles in experimental design* (*Third Edition*). New York: Mcgraw-Hill.

Wisniewski, E., Imai, M. & Casey, L. (1996) On the equivalence of superordinate concepts. *Cognition*, **60**, 269-298.

Woodward, A. L. (1992) *The role of the whole object assumption in early word learning*. Unpublished doctoral dissertation, Stanford University, Stanford, C. A.

Woodward, A. L. & Markman, E. M. (1991) Constraints on learning as default assumptions: Comments on Merriman and Bowman's "The mutual exclusivity bias in children's word learning." *Developmental Review*, **11**, 137-163.

Whorf, B. (1956) *Language, thought, and reality: Selected writings of Benjamin Lee Whorf* (Edited by J. Carroll). Cambridge, MA: MIT Press.

索 引

【あ行】
アラインメント（alignment） 113-5, 133
STSモデル（Shape to Taxonomic Shift model） 79, 84-8, 94, 96, 107, 124, 128

【か行】
外延（extension） 21, 23-4, 26-8, 45, 47, 57, 61, 63, 68-9, 73-6, 82-3, 86-8, 96, 100-1, 105-7, 120, 125-6, 128, 133-5, 140-1, 146, 152-3, 162, 164, 177, 179, 209, 231, 242
外界からの制約 187-95, 197-225
外的制約 197-225
概念的制約 27-48
可算・不可算文法 45-7
——の意味機能 205
仮定（assumption） 50
カテゴリーの首尾一貫性 201
カテゴリーのレベル 47
基礎レベル（basic level） 47, 57-8, 64, 67-9, 72, 76-7, 87, 99, 157, 164, 179, 190, 198-202
上位レベル（superordinate level） 57-8, 77, 87, 89, 99, 119, 141, 148, 199-201
下位レベル（subordinate level） 69, 77, 200
関係構造シフト（relational shift） 85
クワインの謎 17-20
形状類似性の予測可能性 154
形状類似バイアス（shape bias） 28, 49, 61-4, 74-6, 79-131, 134, 140, 150-1, 153, 157-95, 207, 210,

217, 222, 230-1
原理（principle） 49-50, 64-8, 73, 79, 82, 84-6, 107, 124, 128, 207, 222
語彙爆発（naming explosion） 52, 184
ことばの意味 15, 18, 20-9, 65, 67, 73-7, 79-88, 107, 109, 124-5, 128, 133, 150, 159, 162, 164, 175-80, 187-8, 192, 204, 207, 222-4, 229-31
ことばの誤用 159
　制限的適用（under-extension） 24, 159-61, 230
　過剰適用（over-extension） 100, 160-4, 184, 192, 230
　　コンプレクシヴ型 160, 192
　　プロトタイプ型（prototype-based over-extension） 161-2
個別性 207
　――に関する存在論的区分 207
コントラスト原理（principle of contrast） 49, 64-8, 73

【さ行】

指示対象（referent） 17, 20-5, 43, 45, 65, 67, 72-4, 100, 141, 187-8, 220, 229
自然分割仮説（Natural Partition Hypothesis） 187
事物カテゴリーバイアス（taxonomic bias） 28, 49-76, 79-101, 105-29, 134-5, 140, 159-60, 175-6, 183-95, 229-31
　――と知覚類似性 81
　――による属性推論 59
事物全体バイアス（whole object bias） 49-54, 74, 159, 187-8
馴化 190
助数詞 176-8, 205, 219, 221, 223, 244
　――の意味的機能 176
　日本語――における分類

基準　153-4
心理的本質主義（psychological essentialism）　81, 106-7
制約（constraint）　3-6, 25, 50
相互排他性バイアス（mutual exclusivity bias）　64-74, 91, 100, 134
——の抑制　72
即時マッピング（fast mapping）　17, 25
属性の帰納的投影（inductive projection）　61
素朴力学理論（naive theory of physics）　37
存在論木（ontological tree）　30-4, 46, 148, 177
存在論的カテゴリー（ontological category）　30-5, 39, 44, 46-7, 49, 134, 136, 148
——区分　31
——区分に対応する述語選択　19-21
動物と非生物の区分　35-7
物体と物質の区分　37-43

【た行】

対数線形分析（loglinear analysis）　102
知覚—機能シフト（perceptual-functional shift）　85
同一性（identity）の問題　208
同種の物のカテゴリー　55
特徴的要素—本質的要素シフト（characteristic-to-defining shift）　85

【な行】

内的制約　197-225, 232, 243
内包（intension）　21-4, 26-8, 74, 133-5, 229
人間の分類行動（folk taxonomy）　198-9
——の文化普遍性　198-9

【は行】
バイアス（bias） 50
ブートストラッピング（bootstrapping） 108-10, 115-30, 140, 243, 245
　句構造獲得のための意味的―― 109
　知覚類似性―― 110
　知覚類似性――の発達 126
　ラベルによる―― 122
放射状カテゴリー 177

【ま行】
メタ知識 28

【ら行】
類似性・網羅範囲モデル（similarity-coverage model） 137, 139
　――の発達 139
連想的結びつきによるカテゴリー 56, 81-2, 233

欧文事項索引

alignment 113
assumption 50
basic level 76
bias 50
bootstrapping 108
characteristic-to-defining shift 85
constraint 25, 50
extension 21
fast mapping 17
folk taxonomy 198
identity 208
inductive projection 61
intension 21
loglinear analysis 102
mutual exclusivity bias 49, 65
naive theory of physics 37
naming explosion 52
Natural Partition Hypothesis 187

ontological category　30
ontological tree　30, 148
over-extension　160-1
perceptual-functional shift　85
principle　50
principle of contrast　49, 64
prototype-based over-extension　161
psychological essentialism　106
referent　21
relational shift　85
shape bias　49, 61
Shape to Taxonomic Shift model（STS モデル）　85, 107
similarity-coverage model　137
subordinate level　77
superordinate level　77
taxonomic bias　49
under-extension　159
whole object bias　49

人名索引

アレン（K. Allan）　219
稲垣佳世子　154
イネルデ（B. Inhelder）　56, 107
今井むつみ　46, 85-6, 105, 107, 115, 124, 141, 146, 203-4, 207, 211-2, 219, 227
岩淵悦太郎　170-1
ウィギンス（D. Wiggins）　208
ヴィゴツキー（L. Vygotsky）　56
ウィズニュースキー（E. Wisniewski）　211, 227
ヴィルツビッカ（A. Wierzbicka）　211
内田伸子　85
ウッドワード（A. L. Woodward）　181, 224

エイマス（P. D. Eimas） 189
エコルズ（C. H. Echols） 188
オウ（K. F. Au） 168
岡本夏木 162
オッシャーソン（D. N. Osherson） 137
オートニー（A. Ortony） 96, 106
オライリー（A. W. O'Reilly） 59, 83, 96, 140
カイル（F. C. Keil） 34, 75, 85, 96, 106, 108, 134
カセーリ（M. C. Caselli） 170
キャッツ（J. J. Katz） 21
クイン（P. C. Quinn） 189, 202
クージャイ（S. A. Kuczaj II） 181
グッドマン（N. Goodman） 29
グライトマン（L. Gleitman） 108, 225
クラーク（E. V. Clark） 64, 159
グリムショウ（J. Grimshaw） 226
クロフト（W. Croft） 226
クワイン（W. V. Quine） 17, 208
ケアリー（S. Carey） 16, 39, 43-4, 82, 134, 154, 207
ケネディ（J. J. Kennedy） 102
ケムラー＝ネルソン（D. G. Kemler-Nelson） 96, 108
ゲルマン. R（R. Gelman） 30, 36, 87, 225
ゲルマン. S（S. A. Gelman） 59, 68, 81-3, 96, 100, 106, 108, 134-6, 139-40, 146, 152, 201, 225
ゲントナー（D. Gentner） 46, 81, 85, 110, 167, 187, 202, 204, 207, 212
コソフスキー（T. D. Kosowski） 80, 83, 92, 118
コトフスキー（L. Kotovsky） 110
ゴプニク（A. Gopnik）

167-8
コムリー（B. Comrie） 226
コーリー（J. D. Coley） 59, 81, 83, 106, 108, 135, 140
ゴリンコフ（R. M. Golinkoff） 82, 121, 126, 140
ジョーンズ（S. S. Jones） 61, 75, 81-2, 86, 164
スペルキー（E. S. Spelke） 35, 37, 43-4, 82, 207, 224
スマイリー（S. S. Smiley） 89
スミス（L. B. Smith） 61, 75, 81-2, 86, 137, 139, 164, 184
セーレン（E. Thelen） 184
センガス（A. Senghas） 69
ソージャ（N. N. Soja） 43-4, 82, 207
ソマーズ（F. Sommers） 33
ダウニング（P. Downing） 180
タナカ（J. W. Tanaka） 199
タルミー（L. Talmy） 202
ダンハム（P. J. Dunham） 92, 102, 118
チー（M. T. H. Chi） 31
チェ（S. Choi） 167-8
チョムスキー（N. Chomsky） 182, 236
テイラー（M. E. Taylor） 68, 199
デニイ（J. P. Denny） 180
デビッドソン（N. S. Davidson） 59, 83, 140, 201
デュアントレモント（B. D'Entremont） 92, 102, 118
トバースキー（B. Tversky） 99
ドローミ（E. Dromi） 159-60
中西卓哉 203
ネルソン（K. Nelson） 96, 108, 158, 181

ハイベック（T. H. Heibeck） 17
バウアマン（M. Bowerman） 161, 202-3, 226
バーサロー（L. W. Barsalou） 198
波多野誼余夫 46, 154, 210
バターマン（N. Batterman） 85
ハッチンソン（J. E. Hutchinson） 50, 56, 80, 89, 92, 118, 126
パットナム（H. Putnam） 105
バートレット（E. Bartlett） 16
針生悦子 66, 72, 100, 236, 238, 244
バレット（M. Barrett） 159
ハントリー＝フェナー（G. Huntley-Fenner） 39
ピアジェ（J. Piaget） 56, 107
ヒルシュ（E. Hirsch） 208
ピンカー（S. Pinker） 108-9, 182, 223, 226
フォーダー（J. A. Fodor） 21, 80
ブラウン（A. L. Brown） 89, 155
ブルーナー（J. S. Bruner） 56, 85, 107-8
ブルーム（L. M. Bloom） 159
ブルーム（P. Bloom） 221, 225
ブルグマン（C. Brugman） 203
ベイツ（E. Bates） 170
ベイヤルジオン（R. Baillargeon） 37
ヘミンウェイ（K. Hemenway） 99
ヘルスコヴィッツ（Herskovits） 203
ベルリン（B. Berlin） 199
ホール（D. G. Hall） 54
ボールドウィン（D. A. Baldwin） 15, 121, 126, 140

マーヴィス（C. B. Mervis） 64, 201
マークマン（E. M. Markman） 17, 50-1, 56, 59, 64, 68, 80-1, 83, 89, 92, 99, 108, 118, 126, 135, 140, 146, 181, 225
マッコウレー（J. D. McCawley） 211
マッセイ（C. M. Massey） 36
松本燿 180
マディン（D. L. Medin） 82, 96, 106, 198, 225
マーフィー（G. L. Murphy） 106, 198
メルツォフ（A. N. Meltzoff） 168
モルコウ（D. B. Markow） 226
モルト（B. C. Malt） 197, 200, 225
ラターマン（M. Rattermann） 110
ラナカー（R. W. Langacker） 21
ランダウ（B. Landau） 61, 75, 81-2, 86, 164
ルイス（M. M. Lewis） 159
ルシー（J. Lucy） 206, 221
レイコフ（G. Lakoff） 21, 177, 203, 227
レビン（B. Levin） 226
ロッシュ（E. Rosch） 64, 76, 99, 199
ロペス（A. López） 137, 139-40
ワイナー（B. J. Winer） 155
ワクスマン（S. R. Waxman） 69, 80, 83, 87, 92, 118, 225-6
ワクテル（G. F. Wachtel） 51, 64
ワーフ（B. Whorf） 4-6, 227-8, 236
ワーレ（R. Ware） 208

本書は1997年6月25日に共立出版から刊行された『ことばの学習のパラドックス』を文庫化したものである。

「伝える」ことと「伝わる」こと　中井久夫
精神が解体の危機に瀕した時、それを食い止めるのが妄想である。解体か、分裂か。その時、精神はよりましな方として分裂を選ぶ。（江口重幸）

私の「本の世界」　中井久夫
精神医学関連書籍の解説、『みすず』等に掲載の年間読書アンケート等とともに、大きな影響を受けたヴァレリーに関する論考を収める。（松田浩則）

モーセと一神教　ジークムント・フロイト　渡辺哲夫訳
ファシズム台頭期、フロイトはユダヤ民族の文化基盤ユダヤ教に対峙する。自身の精神分析理論を揺るがしかねなかった最晩年の挑戦の書物。

悪について　エーリッヒ・フロム　渡会圭子訳
私たちはなぜ生を軽んじ、自由を放棄し、進んで悪に身をゆだねてしまうのか。人間の本性を克明に描き出した不朽の名著、待望の新訳。（出口剛司）

ラカン入門　向井雅明
複雑怪奇きわまりないラカン理論。だが、概念や理論の歴史的変遷を丹念にたどれば、その全貌を明快に理解できる。『ラカン対ラカン』増補改訂版。

引き裂かれた自己　R・D・レイン　天野衛訳
統合失調症とは、苛酷な現実から自己を守ろうとする決死の努力である。患者の世界に寄り添い、反精神医学の旗手となったレインの主著、改訳版。

素読のすすめ　安達忠夫
素読とは、古典を繰り返し音読すること。内容の理解は考えない。言葉の響きやリズムによって感性を耕し、学びの基礎となる行為を平明に解説する。

言葉をおぼえるしくみ　今井むつみ　針生悦子
認知心理学最新の研究を通し、こどもが言葉や概念を覚えていく仕組みを徹底的に解明。さらにその仕組みを応用した外国語学習法を提案する。

ハマータウンの野郎ども　ポール・ウィリス　熊沢誠／山田潤訳
イギリス中等学校〝就職組〟の闊達でしたたかな反抗ぶりに根底的な批判を読みとり、教育の社会秩序再生産機能を徹底分析する。（乾彰夫）

イメージを読む　若桑みどり

ミケランジェロのシスティーナ礼拝堂天井画、ダ・ヴィンチの「モナ・リザ」、名画に隠された思想や意味を鮮やかに読み解く楽しい美術史入門書。

イメージの歴史　若桑みどり

時代の精神を形作る様々な「イメージ」にアプローチし、ジェンダー的・ポストコロニアル的視点を盛り込みながらその真意をさぐる新しい美術史。

絵画を読む　若桑みどり

絵画の〈解釈〉には何をしたらよいか。名画12作品の読解によって、美術の深みと無限の感受性への扉を開ける。美術史入門書の決定版。（宮下規久朗）

てつがくを着て、まちを歩こう　鷲田清一

規範から解き放たれ、目まぐるしく変遷するモードの世界に、常に変わらぬ肯定的眼差しを送りつづけてきた著者の軽やかなファッション考現学。

英文翻訳術　安西徹雄

大学受験生から翻訳家志望者まで。達意の訳文で知られる著者が、文法事項を的確に押さえ、短文を読みときながら伝授する、英文翻訳のコツ。

英語の発想　安西徹雄

直訳から意訳への変換ポイントは、根本的な発想の転換にこそ求められる。英語と日本語の感じ方、認識パターンの違いを明らかにする翻訳読本。

英文読解術　安西徹雄

単なる英文解釈から抜け出すコツとは？　名コラムニストの作品をテキストに、読解の具体的な秘訣と要点を懇切詳細に教授する、力のつく一冊。

〈英文法〉を考える　池上嘉彦

文法を身につけることとコミュニケーションのレベルでの正しい運用の間のミッシング・リンクを、認知言語学の視点から繋ぐ。（西村義樹）

日本語と日本語論　池上嘉彦

認知言語学の第一人者が洞察する、日本語の本質。既存の日本語論のあり方を整理し、言語類型論の立場から再検討する。（野村益寛）

幾何学基礎論　D・ヒルベルト　中村幸四郎訳

20世紀数学全般の公理化への出発点となった記念碑的著作。ユークリッド幾何学を根源まで遡り、斬新な観点から厳密に基礎づける。（佐々木力）

素粒子と物理法則　R・P・ファインマン／S・ワインバーグ　小林澈郎訳

量子論と相対論を結びつけるディラックのテーマを対照的に展開したノーベル賞学者による追悼記念講演。現代物理学の本質を堪能させる三重奏。

ゲームの理論と経済行動Ⅰ（全3巻）　ノイマン／モルゲンシュテルン　銀林／橋本／宮本監訳　阿部／橋本訳

今やさまざまな分野への応用いちじるしい「ゲーム理論」の嚆矢とされる記念碑的著作。第Ⅰ巻はゲームの形式的記述とゼロ和2人ゲームについて。

ゲームの理論と経済行動Ⅱ　ノイマン／モルゲンシュテルン　銀林／橋本／宮本監訳　銀林／下島訳

第Ⅰ巻でのゼロ和2人ゲームの考察を踏まえ、第Ⅱ巻ではプレイヤーが3人以上の場合のゼロ和ゲーム、およびゲームの合成分解について論じる。

ゲームの理論と経済行動Ⅲ　ノイマン／モルゲンシュテルン　銀林／橋本／宮本監訳　銀林／宮本訳

第Ⅲ巻では非ゼロ和ゲームにまで理論を拡張。これまでの数学的結果をもとにいよいよ経済学的解釈を試みる。全3巻完結。（中山幹夫）

計算機と脳　J・フォン・ノイマン　柴田裕之訳

脳の振る舞いを数学で記述することは可能か？　現代のコンピュータの生みの親でもあるフォン・ノイマン最晩年の考察。新訳。（野﨑昭弘）

数理物理学の方法　J・フォン・ノイマン　伊東恵一編訳

多岐にわたるノイマンの業績を展望するための文庫オリジナル編集。本巻は量子力学・統計力学など物理学の重要論文四篇を収録。全篇新訳。

作用素環の数理　J・フォン・ノイマン　長田まりゑ編訳

終戦直後に行われた講演「数学者」と、「作用素環について」Ⅰ～Ⅳの計五篇を収録。一分野としての作用素環論を確立した記念碑的業績を網羅する。

新・自然科学としての言語学　福井直樹

気鋭の文法学者によるチョムスキーの生成文法解説書。文庫化にあたり旧著を大幅に増補改訂し、付録として黒田成幸の論考「数学と生成文法」を収録。

自己組織化と進化の論理
スチュアート・カウフマン
米沢富美子監訳
森弘之ほか訳

すべての秩序は自然発生的に生まれる、この「自己組織化」に則り、進化や生命のネットワーク、さらに経済や民主主義にいたるまで解明。

人間とはなにか（上）
マイケル・S・ガザニガ
柴田裕之訳

人間を人間たらしめているものとは何か？　脳科学界を長年牽引してきた著者が、最新の科学的成果を織り交ぜつつその核心に迫るスリリングな試み。

人間とはなにか（下）
マイケル・S・ガザニガ
柴田裕之訳

人間の脳はほかの動物の脳といったい何が違うのか？　社会性、道徳、情動、芸術など多方面から「人間らしさ」の根源を問う。ガザニガ渾身の大著！

新版 自然界における左と右（上）
マーティン・ガードナー
坪井忠二／藤井昭彦／小島弘訳

「左と右」は自然界において区別できるか？　上巻では、鏡の像の左右逆転から話をはじめ、動物や人体における非対称、分子の構造等について論じる。

新版 自然界における左と右（下）
マーティン・ガードナー
坪井忠二／藤井昭彦／小島弘訳

左右の区別を巡る旅は続く——下巻では、パリティの法則の破れ、反物質、時間の可逆性等が取り上げられ、壮大な宇宙論が展開される。（若島正）

ナチュラリストの系譜
木村陽二郎

西欧でどのように動物や植物の観察が生まれ、生物学の基礎となったか。分類体系の変遷、啓蒙主義との親和性等、近代自然誌を辿る名著。（塚谷裕一）

MiND（マインド）
ジョン・R・サール
山本貴光／吉川浩満訳

唯物論も二元論も、心をめぐる従来理論はそもそも全部間違いだ！　その錯誤を暴き、あらゆる心的現象を自然主義の下に位置づける、心の哲学超入門。

類似と思考　改訂版
鈴木宏昭

類似を用いた思考＝類推。それは認知活動のすべてを支える。類推を可能にする構造とはどのようなものか。心の働きの面白さへと誘う認知科学の成果。

デカルトの誤り
アントニオ・R・ダマシオ
田中三彦訳

脳と身体は強く関わり合っている。脳の障害がもたらす情動の変化を検証し「我思う、ゆえに我あり」というデカルトの心身二元論に挑戦する。